Southwest England:
A journey of blissful cream teas

イギリス南西部
至福のクリームティーの旅

MAP Ｅｎｇｌａｎｄ ＆ Ｓｏｕｔｈｗｅｓｔ Ｅｎｇｌａｎｄ

イギリスがどこにあるかご存知の方は多いでしょうが、
この本の中に出てくる南西部に関しては、なじみのない方が多いかもしれません。
南西部にはどんな州があり、この本に登場する州や拠点となる町がどこにあるのか、
まずは地図上で簡単にお伝えしましょう。

イギリス全図

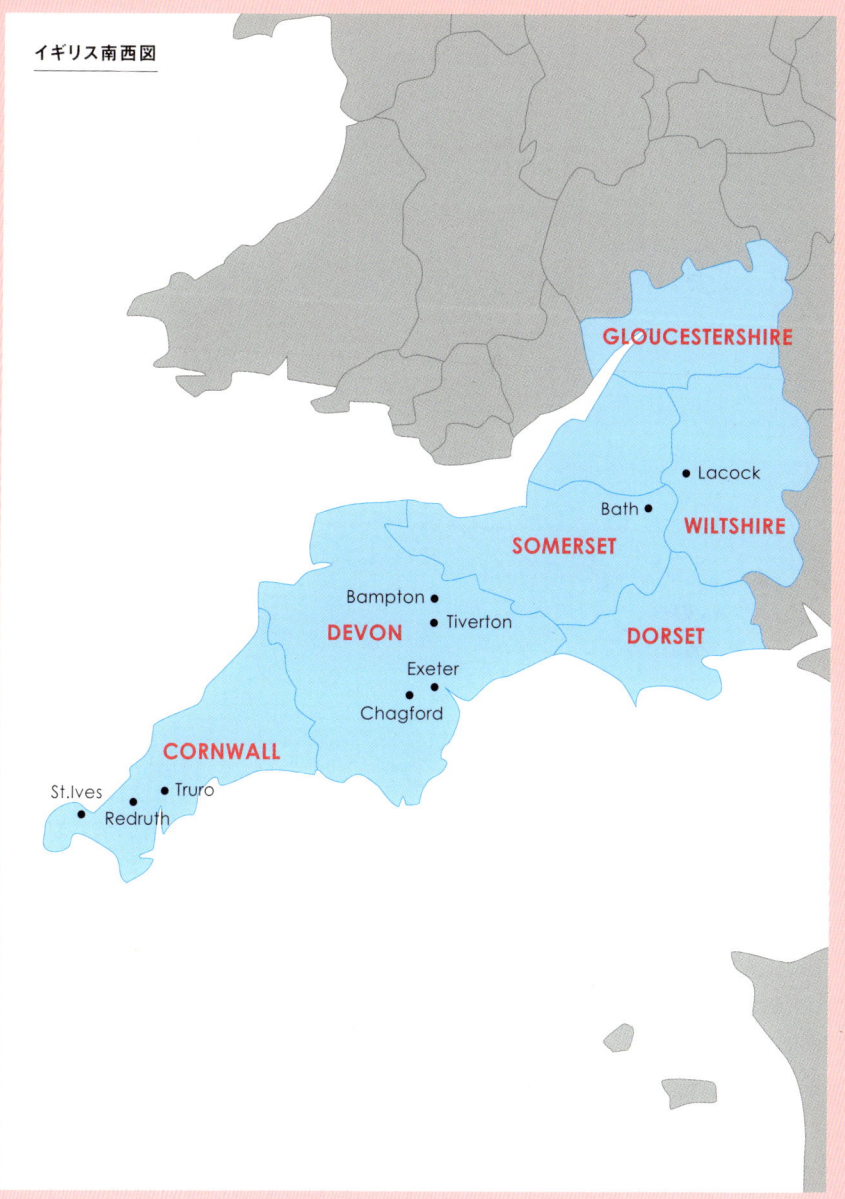

CONTENTS

002 　MAP
004 　もくじ

006 　PROLOGUE
　　　どうして南西イングランドに行ったのか

008 　スコーンって、美味しいの? 美味しくないの?
010 　紅茶好きが高じてインストラクターに
012 　英国で出会った至福のティータイム、「クリームティー」
017 　なぜ南西イングランドなのか
019 　クリームティーを求めて出発! でもその前に

022 　CHAPTER 1
　　　いざバースから南西イングランドへ

024 　まずは鉄道でバースに向けて出発
024 　南西イングランドの玄関口、バース
028 　ローマ人の拓いた美しい保養地
031 　元ボウルルームのティープレイス、サーチーズ・アット・ザ・パンプルーム

036 　[TEA BREAK COLUMN 1] ナショナルトラストについて

037 　CHAPTER 2
　　　サマセット州

038 　IVY HOUSE DAIRY FARM／アイビー・ハウス・デイリー・ファーム
044 　LACOCK／レイコック
048 　KING JOHN'S HUNTING LODGE／キング・ジョンズ・ハンティング・ロッジ
056 　THE SETTLE／セトル
060 　STON EASTON PARK／ストン・イーストン・パーク

068 　[TEA BREAK COLUMN 2] チェダーチーズ発祥の地、チェダー

069　CHAPTER 3
　　　デボン州

070　WESTONS FARM／ウエストンズ・ファーム
074　KNIGHTSHAYES COURT／ナイツヘイズ・コート
084　GEORGIAN TEA ROOM／ジョージアン・ティールーム
092　GIDLEIGH PARK／ギドリー・パーク
100　BOYCES NURSERY, FRUIT FARM & MANSTREE VINEYARD
　　　ボイセス・ナーサリー、フルーツファーム&マンスツリー・ヴィンヤード

108　[TEA BREAK COLUMN 3］英国版ファストフード、フィッシュ&チップス

109　CHAPTER 4
　　　コーンウォール州

110　RODDA'S／ロダス
116　TRELISSICK／トレリシック
126　CHARLOTTE'S TEA HOUSE／シャルロッツ・ティー・ハウス
136　TATE ST. IVES／テート・セント・アイヴス

144　[TEA BREAK COLUMN 4］コーンウォールの郷土食、パスティーズ

145　CHAPTER 5
　　　英国ティータイムレシピ

154　クリームティーの旅に出る時の[お役立ち情報]

159　あとがき

※本書で紹介するクリームティーの値段は、どれも£5前後です。
（2015年8月時点で、£1＝195円）

WHY, SOUTH WEST ENGLAND?
どうして南西イングランドへ行ったのか

A JOURNEY OF CREAM TEAS

PROLOGUE
序章

序章　どうして南西イングランドへ行ったのか

007

スコーンって、美味しいの？美味しくないの？

紅茶はお好きですか？
アフタヌーンティーと言う言葉はなんとも魅惑的ですよね。
午後のひと時を、気の置けない人達と過ごすティータイム。
美味しいサンドイッチや美しいケーキ、スコーンとクロテッドクリームにジャム、それにポットで提供される熱々の紅茶。至福のティータイムメニューです。
けれど、そのスコーンの評判が日本ではいまひとつのようです。
我が家でお茶の時間にスコーンをご馳走すると、ほとんどの人は目を丸くして「スコーンて、こんなに美味しい物なのですね！」とおっしゃいます。
確かに街中で売られているスコーンのお味は残念ながら……。その上「オーブンなどで少し温めて食べて下さい」とか「バターあるいはクリームと、ジャムを添えて食べて下さい」とかいう最低限のアドバイスも無しに、ただゴロゴロと売られています。
私は数十年前の高校生の時に交換留学生として1年間滞在したオーストラリアで、アフタヌーンティーパーティーやホームメイドのスコーンとの衝撃的な出会いをしました。
スコーンは小麦粉とベーキングパウダーに少しのバターと砂糖、ミルクを加えて焼いた、いわゆるクイックブレッドと言う物です。慣れるととても簡単に作れますし、おやつや朝食のパンがわりに食べる事も出来て、「なんて便利な焼き菓子なんだろう！」と作り方を教えてもらい、以来、数十年作り続けています。家で作ると焼きたての熱々も美味しいですが、数日たっても温め直せば美味しく食べられます。
でも食パンを想像して下さい。食パンはそのまま食べるだけではなくて、トーストしたり、バターやマーガリンを塗ったり、ジャムや蜂蜜を付けて食べますよね。スコーンもクロテッドクリームとジャムを付けて食べるのが、英国の伝統的で、とても美味しい楽しみ方なのです。

紅茶好きが高じてティーインストラクターに

　24歳の時にドイツのボルフェンビュッテル国立製菓学校に留学してマイスターコースを修了し、帰国後小さな欧菓子教室を開きました。欧菓子教室では、皿洗いから修業したウイーン菓子店でのお菓子、ドイツの製菓学校や修業したお店のお菓子に加えて、オーストラリアで習った英国由来のお菓子の数々を教えてきました。また、各自がホールのお菓子を実習した後、家に持ち帰るという工夫をしました。実習後は私の作ったお菓子に紅茶を添えたティータイムを楽しんでもらいました。

　かつて留学したオーストラリアでは、ドイツ系やスコットランド、イングランド系の移民の末裔の人々の家5軒にホームステイしました。2軒目のホストファミリー、ウィルキンソン家では、生まれてはじめて公のティーパーティーにも参加させてもらいました。ウィルキンソン氏は、BHPというオーストラリアで最大の鉄鋼会社支社長で、コロニアル様式の大きなお屋敷が住居でした。家の前にはバラ園があり、家の裏には大きな木がところどころに植えられている芝生の広大な庭、その向こうにはテニスコートや果樹園があり、庭師が手入れをしているような家でした。

　ホストマザーが数日前から食器、ティーセットを選んで、お菓子の準備や、お庭のバラを摘んで飾ったりという準備をしていた事や、応接用の洋間に招かれたご婦人達が集まって、ホストマザーが「ミルクティーにしますか？お砂糖は？」と聞きながらゲストに紅茶をサービスしていた事が印象的でした。
　それ以来「手作りのケーキには紅茶」が私の定番となりました。
　すると、洋菓子の味によって紅茶の味が変わって感じられる事や、紅茶にもワインのように産地や茶園によって全く違った風味の物がある事が分って来ました。
　紅茶をもっと美味しく楽しめる方法があるのか、産地によってどのような違いがあるのか知りたいと思っている時に、新聞で日本紅茶協会が紅茶の正しい淹れ方や楽しみ方の知識を学び、「ティーインストラクター」と言う資格を与える活動を始めたと言う記事を見ました。
　毎週1回、1年間通って産地による味の違いばかりでなく、より美味しく入れる方法、紅茶の歴史や英国、中国、インドやスリランカの歴史、文化等様々な事を学びました。資格取得試験は大変でしたが、美味しい紅茶とも出会えましたし、紅茶を通じてほとんど「オタク」のような人々とも知り合えて、とても実りのある経験でした。

序章　どうして南西イングランドへ行ったのか

英国で出会った至福のティータイム、「クリームティー」

　イギリスの伝統的な「アフタヌーンティー」という午後のティータイムは、今や日本中に知られています。実はもう1つ、もうちょっとカジュアルな「クリームティー」というティータイムのメニューがあります。

　私が初めて体験したのは、2002年の暮れに紅茶協会の研修旅行に出かけたコッツウォルズでのこと。「何ともクリーミーで美味しそうなクリーム入りの紅茶が出てくるのかしら？」と想像しそうですが、そうではなかったのです！

クリームティーは紅茶に生クリームやアイスクリームを添えたりする飲み物ではなく、スコーン2個（又は超巨大なスコーン1個）とイチゴジャム、それに「クロテッドクリーム」と言うバニラ色のクリームとポットサービスの紅茶が楽しめるイギリスの人気のメニューの事です。

　どちらかと言うと都市部ではなく、地方の観光地でよくこのメニューが書かれた看板を見かけます。

　スコーンにクロテッドクリームとジャムをのせて口にほお張ると、スコーンの香ばしい粉の風味と、クロテッドクリームのクリーミーな甘み、ベリーのジャムの優しい酸味が三

序章　どうして南西イングランドへ行ったのか

　味一体となり何とも幸せな瞬間が訪れます。
　1口、2口と食べてから熱々の紅茶を飲むと口の中がサッパリとして、またスコーンを食べたくなるのです。
　クリームティーだけではなくロンドンのデパートのティールームや高級ホテルでのアフタヌーンティーでも、必ず付いてくるスコーンと濃厚なクリームとジャム。このクリームがクロテッドクリームという物です。簡単に言うと生クリームとバターの中間のようなクリームなのですが、製造方法はそれぞれ全く違います。
　同じ研修旅行中に、デボン州のコランプトンという所のデイリーファーム（酪農牧場）を訪ねました。
　そのファームではジャージー牛と言う品種の乳牛の牛乳から、伝統的な手法で作るクロテッドクリームを製造販売しています。そこで、生涯忘れられないような至福の「クリームティー」を体験しました。
　牧場主のマダム、マーガレットさん手作りの何とも美味しそうな焼き立てのスコーンと、ガラスのボウルにいっぱいのクロテッドクリーム、それにホームメイドのイチゴジャムとアンズジャム、そして熱々の紅茶のティータイムです。
　そのクリームの美味しさと言ったら!!

015

序章　どうして南西イングランドへ行ったのか

表面はまるで卵焼きのようなゴールデンイエローで、下の方は何ともいえず美味しそうなヴァニラ色をしたクリーム。口に入れるとすっと口の中で溶けて、ほんのり甘く、ほんの少し発酵バターのような乳酸の甘い香りがのどから鼻に抜ける。ものすごくコクがあるけれど、しつこくないのです。
　まずスコーンを横に半分に分け、クリームをたっぷりとのせて（塗ると言うよりのせると言う量です！）、その上に好みのジャムを盛り付けて、1口！
　スコーンの粉の風味とジャムのフルーティーな甘味と酸味、そしてこのクリームが口の中で渾然一体となり、得も言われぬ美味しさです。「え～！こんなにたくさんは食べられな～い！太りそうよね～！」等と言っていた同行者達もその美味しさの虜に。気が付くとガラスボウルの中に山盛りに入っていたクリームはすっかり空になっていました。
　2004年の6月にやはり紅茶関係者のツアーに同行しました。その時はサマセット州のハイブリッジという所の酪農牧場を訪ねました。やはり焼きたてのスコーンとジャムのクリームティーを体験し大感激しました。手作りの焼き立てスコーンはその家のレシピなのか他とは味も違い美味しかったのですが、特に感じたのはクロテッドクリームの風味がやはり微妙に違った事なのです。

なぜ南西イングランドなのか

　英国の訪問先では必ず、スーパーやデパートの食品売り場で何種類かのクロテッドクリームを買っては、試食をしていました。

　やはり生産者により、クリームのコクや風味、色や食感がそれぞれ微妙に違うのです。持ち前の研究心からそれ等のクリームのパッケージを必ず持ち帰り、生産者や製品の情報を記録していました。

　「なんであんなに美味しいんだろう？ 風味の違いは何故かしら？」「気候や風土によっての違いがあるのだろうか？」何よりも「あの美味しいクロテッドクリームをタップリとつけたスコーンをもう1度食べた〜い!!」と言うのが、今回の旅行の発端です。

　でも、なぜ南西イングランド？

　英国と言うと多くの方が緑美しい牧草地が広がる田園風景を思い浮かべると思います。けれど良く考えるとそこでのどかに草を食べているのは羊のイメージが強く、あまり牛のいる田園風景をイギリスの写真等でも見た記憶がありません。

　2002年の研修旅行に同行したガイドさんが、その疑問を解決してくれました。歴史的にも南西部は古くから乳牛の酪農産業が盛んで、北部に行くほど羊の酪羊が盛んなのだそう。その言葉通り南西に向かうにつれ緑の牧草地に牛の姿が増えていきました。牛も日本で見る白地に黒のまだらの模様があるホルスタイン牛、キャラメル色をしたジャージー牛、ガンジー牛とその種類も様々です。

序章　どうして南西イングランドへ行ったのか

　そしてクロテッドクリームも、デボン州では「デボンシャー・クリーム」、コーンウォール州では「コーニッシュ・クロテッドクリーム」と呼ばれていると知りました。又、私が英国で試したクロテッドクリームの中でとても美味しかったクリームの生産者がサマセット州の酪農家であった事などから、今回の旅行はサマセット州、デボン州、コーンウォール州が属する南西イングランドに絞りこんだというわけなのです。

クリームティーを求めて出発！でもその前に

　そんなある日の電話で、懇意にしているプロカメラマンの松井光子さんに、「私、この夏前に南西イングランドへクロテッドクリームを求めて旅しようと思っているのよね……」と何気なく話したところ、「先生、それ面白そうだし、私も行こうかな」と一言。え〜!! 本当に!?

　旅は道連れ、それがまた、素敵な写真を撮れるカメラマン。ただ「美味しい、おいしい」と食べてしまえば消えてしまうスコーンやケーキを、写真に残してもらえるなら、こんなに素敵な事はありません。

　せっかくの美しい写真や美味しい情報、いっそのこともっとたくさんの人に見てもらいたいと思っていたところ、幸運にも雑誌に掲載してもらえる事になりました。

　正式な取材となると、コーディネーターが間に入るところを私が一手に引き受けることにし、旅程、訪ねる場所やお店選びなど、様々な情報集めからはじめました。

　湖水地方やコッツウォルズに関しては、日本語の旅行案内やエッセイ本がたくさんありますが、南西イングランドに関してはあまり情報が無いのです。情報が無い、誰も行かない、だからいつまでも情報が無い……といった状態で日本人にはあまりなじみのない地方ですが、調べるとよさそうな場所があるある!!

　たくさんのティーハウス、魅力的な海岸リゾート、不思議な荒野の国立公園、美しいガーデンの数々、荘厳な僧院や大聖堂、ロンドンにある有名な美術館テートギャラリーの分館、ミステリー女王・アガサクリスティーの屋敷と庭など、キラ星のごとくたくさんの魅力的なスポットが浮き上がってきたのです。

　しかし今回の目的は、クリームティーの発祥の地で沢山のクリームティーを体験し、クロテッドクリームの製造現場を見学する事。

　まずは英国のTEA COUNCIL（英国紅茶協議会）出版の『ティープレイス ガイ

序章　どうして南西イングランドへ行ったのか

ド』でサマセット州、デボン州、コーンウォール州の3つの州のティープレイスやティーハウスを調べました。

　同時にクロテッドクリームを製造している、いわゆるファーム（牧場）を調べて問い合わせをしたところ、それぞれの州で1箇所ずつ訪ねられることになりました。

　それらの場所を地図の上で検証し、旅程を組む作業がまるでパズルのよう。

　例えばある街のティープレイスの定休日に丁度旅程が重なってしまいそうな場合は、旅程を変えるか、その店を訪ねるのをあきらめるかを判断し、訪問をやめる場合は代わりのお店を捜したり。

　取材目的を報告して、英国観光庁の協力を得たり、訪問予定の南西イングランドの各州の観光窓口や個人に取材協力をしてもらうためにメールや手紙で連絡をしたりと、辞書と首っ引きで大変でしたが、それでも皆親切に対応してくれて、何とか旅程を組んで「いざ出発！」というところまでこぎつけました。

　ひとまずホッとしたものの、重大な問題が。

　まず、南西イングランドは（と言うよりイギリス全体に言える事ですが）交通網があまり行き届いていない事。また、私が訪ねたいと思う場所が駅や主要な町から離れた、いわゆるカントリーサイドにある事。

　それで、思い切ってレンタカーを借りて旅する事にしました。

　日本と同じ右ハンドル、左通行なので家人からも「まあ、気を付けて運転してくるよう」と許可が下り、ひとまずクリアーしました。

　次なる大きな問題は取材方法。

　出版社の編集長や、知人の編集者のアドバイスによると、「取材はそんなに甘い物ではない、特に言語が違う国へ取材に行くのだから事前に準備をしておかないと、記事を書く段階でとんでもない事になる！！」と言う事がわかってきました。

　幸いその知人の編集者から彼女の虎の巻の取材用のフォーマットを伝授してもらうことができたので、私なりの工夫を加えた取材シートを出かける場所の数だけ作成しました。その準備作業がとても大変で、3カ月以上もかかったほど。

　念のために、マイクロレコーダーも用意し、英語での取材マニュアルも練習して、様々な資料を持っていざ出発！！

　そんな旅で得た情報を、これからこの本で紹介していきます。

英国は、日本語ではグレート・ブリテンおよび北アイルランド連合王国（あるいは北部アイルランド連合王国）と表記されます。通称はイギリスや英国（えいこく）が一般的。「英」と略されます。他に連合王国やブリテン、UKと呼ばれることもあります。いわゆるイギリスは、イングランド、スコットランド、ウェールズ、北アイルランドから構成されている王国で、英連邦王国の一国です。

THE START FROM BATH TO SOUTH WEST ENGLAND
いざバースから南西イングランドへ

紀元前1世紀に古代ローマ人により建設された浴場施設の遺跡、ローマンバス博物館。

CHAPTER 1

SOUTH WEST

南西イングランド

まずは鉄道でバースに向けて出発

　ロンドン・ヒースロー空港からは、ヒースロー・エクスプレスに乗ってパディントン駅に向かいます。緊張気味でしたが、何だかちょっとウキウキしてきました。
　ロンドンから南西イングランドの玄関口と言われる観光地バースまでは115マイル（185km）、日本でいえば東京から静岡くらいの距離です。私達はパディントン駅からバースまでは列車で行き、そこからレンタカーを借りることにしました。
　本来、鉄道の切符も日本でネット予約をすると早割でとても安くなるのですが、変更が出来ません。飛行機の到着時間や、大きな荷物を持っての移動にどの位かかるか分からないので、今回は断念しました。
　まず駅のチケット窓口に向かいました。「バースまで大人2枚」と言うと、窓口のおじさんが当日券にも割引があり、ロンドン、バース間は片道1人74ポンドかかるところ、帰宅ラッシュがおさまる午後6時以降のオフ・ピーク切符を購入すると、35％以上割安の48ポンドになると言うのです。
　その日私達は移動のみの予定だったので、午後8時発のオフ・ピークの切符を購入。列車の時間まで大好きなケンジントンパークに散歩に出かける事にして、パディントン駅からチューブ（ロンドンの地下鉄の呼び名）で次のベイズウォーター駅で降り、公園を歩いてみました。
　5時半過ぎだと言うのに外はまだ昼過ぎのような明るさ。公園ではたくさんの人が、犬の散歩やジョギング、日光浴など、平日の夕方とは思えない賑やかさです。更に歩いて私のお気に入りのティースポット、ケンジントンパレスのオランジェリーにたどり着きましたが、あいにく午後6時の閉店の時間を過ぎていました。残念!!その後パディントン駅に戻り、無事に列車に乗り込み、南西イングランドに向けて、出発です!!

南西イングランドの玄関口、バース

　バースの駅（バース・スパ駅）まではロンドンのパディントン駅からインターシティーで1時間半。列車はファー

スト・グレート・ウェスタン社によって運行されていてとても快適な旅が出来ます。

　街は低い山に囲まれた盆地に中心街があり、たくさんの緑に囲まれ、ローマ遺跡、美しい歴史的建造物や、公園、坂の多い風光明美な保養地として栄えました。現在も英国人ばかりでなく、世界中から観光客が訪れる人気の観光スポットです。日本でいえば箱根と軽井沢を足して、それに京都を加えて3で割った感じです。入浴やお風呂を意味する英語「Bath」はこの街の名が語源になったという説がありますが、実は順序が逆で、温泉があったからこの名前が付いたのだそうです。駅は高台にあって、日本のように親切なエレベーター施設等はありません。

1章　いざロンドンから南西イングランドへ

「階段を下りなくてはいけないのか〜」と思いながらホームに降り立つと、数人の人が出口とは反対の方向へ向かっています。どうやらホームの後方にもう1つ出口があるようだったのでついていくと、ラッキーなことにタクシーが待っているではありませんか。こうしてようやく少し暗くなってきた頃、無事に予約をしたバース郊外のB&Bに到着したのです。

　古い洋館を改装したB&Bは部屋が明るく、とても快適。次の日の朝食は、モダンなインテリアの食堂で完璧なイングリッシュブレックファストをいただきました。

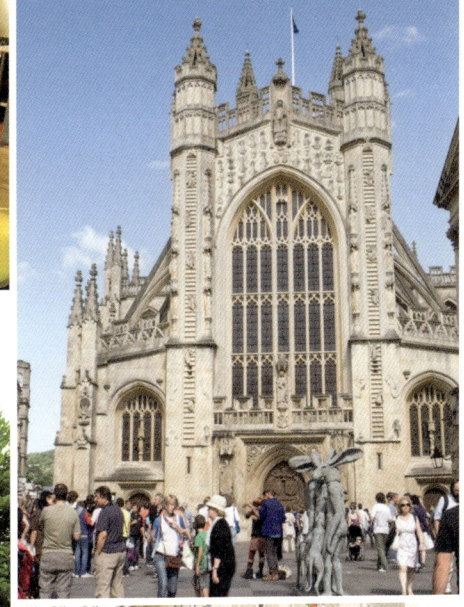

1章　いざロンドンから南西イングランドへ

ローマ人の拓いた美しい保養地

　バースの語源については先述しましたが、もともとバースには温泉が湧き、紀元1世紀の頃には既にブリテン島に進出したローマ人の静養地として栄えており、その温泉施設の遺跡が現在ローマンバス博物館として公開されています。その後18世紀になると、温泉の魅力やロンドンからの立地条件などから当時の上流貴族のリゾート地として人気を博しました。

　現在も18世紀〜19世紀にかけてのジョージアンスタイルの建物が並び、どれもグレーがかった白のバースストーンで造られているので、調和のとれた美しい街並みです。

美しいエイヴォン川と、パルトニー橋。橋の上にはティールームやお店があります。

1章 いざロンドンから南西イングランドへ

駅から歩いて6〜7分で、街の中心にあるローマンバス博物館に行くことができます。博物館の中に入ると、2000年も前に設置されたとは思えない様々な工夫の浴場施設があり、ローマ人の英知に感激。すぐ隣りにはかつては大舞踏場だったパンプルーム、その斜め前には大寺院のバースアビーがあります。そこからまた10分ほど歩くと18世紀に建てられた美しい弧を描く大きな建物が3棟円形状に並び、その中央に大きな木の植えられた緑の広場のあるザ・サーカスと言う住宅建造物があります。

　そこからまた数分歩くと、目の前に巨大な半楕円形の建物が見えます。これはロイヤルクレッセントといわれ、18世紀当時には限られた貴族や上流階級、著名人達の為のリゾート用の集合住宅でした。

　その建物の前に広がる緑の広大な広場では、人々がのんびりと日向ぼっこやボール遊びをしています。そこから建物を眺めると、当時の王侯貴族が馬車でロンドンから乗りつけて、華麗な社交を繰り広げた様子が想像できます。

　その他にもエイボン川沿いの散策道路や公園、川にかかっているパルトニー橋等々。本当に、本当に美しい街です。温泉が湧いているにもかかわらず入浴施設が無かったこの街に、2006年の夏、スパ施設が完成。入浴も可能になったそうです。ただ温泉大国の日本と違い、水着で入浴しなくてはいけないのですが……。

かつてはロンドン在住の上流階級の人々のリゾートマンションだった、ロイヤルクレッセント。

元ボウルルームのティープレイス、サーチーズ・アット・ザ・パンプルーム

　サーチーズ・アット・ザ・パンプルーム。この長い名前のレストランはローマンバス博物館の隣にある1706年当時に建てられた、ネオクラシック様式の大きな建物です。

　ボウルルームとはボウリング場ではありません。社交の為の大舞踏場として建築されました。レストランの入り口は重厚で、案内の人が立ち、ちょっと入りにくい雰囲気です。でも観光地だけあり、優雅にドレスを着てランチをしている現地の女性達の隣には、半袖に半ズボンの人々がビールを飲んでいたりと、世界中の色々な人種の人々が、思い思いに楽しんでいます。建物の中は、見上げるように高〜い天井に、仕切りの無いまるで大きな体育館のような空間で、最大130名の収納が可能だそうです。

　壁も天井もピンクがかったオフホワイトで、広場に面して大きなガラス張りの窓が4つもあり、陽が燦々と入っています。天上には巨大なシャンデリアが煌めいていて、たくさんのテーブルには全て真っ白のテーブルクロスが敷かれているので、ものすごく明るく優雅な感じです。反対側には小さなサンルームのようなガラス張りのドームがあって、有料で温泉水を飲む事が出来ます。

　部屋の端には小さなステージがあり、そこではクラシックの演奏があります。ちょうど私達のテーブルのすぐ横にケーキのクールケースがあり、美味しそうに盛り付けら

れたクロテッドクリームが用意されていて、その横にはフルーツタルトレットやシュークリーム、アーモンドの菓子等が、その側の台には大きなケーキスタンドに黄金に輝くスコーンがきれいに山盛りにされています。思わず目が釘付けに!!

　早速アフタヌーンティーを取材。

　3段のティーティアーと言うケーキスタンドの1番下に、フィンガーサンドイッチ3種類、カニと卵のマヨネーズ和え、チャイブ入りのクリームチーズ、ハムとトマト。その上にプレーンスコーンとレーズン入りのフルーツスコーン、苺ジャムにクロテッドクリーム、1番上段にはその日のケーキが4種類（2人分です）。それにお好みのティーかコーヒーのポットサービス、これはおかわりが自由です。

　その他にチョコレートケーキを頼みました。これはオレンジの香りのするしっとりとしたチョコレートスポンジにオレンジ風味のチョコレートクリームを挟み、たっぷりの甘〜いチョコレートアイシング（ココアと粉砂糖を何かの水分でクリーム状に溶いた物）で覆われているのですが、爽やかな後味でとても美味しかったです。

　土日限定のシャンパン付のアフタヌーンティーもあるそうですが、これは1週間前に予約が必要だそうです。

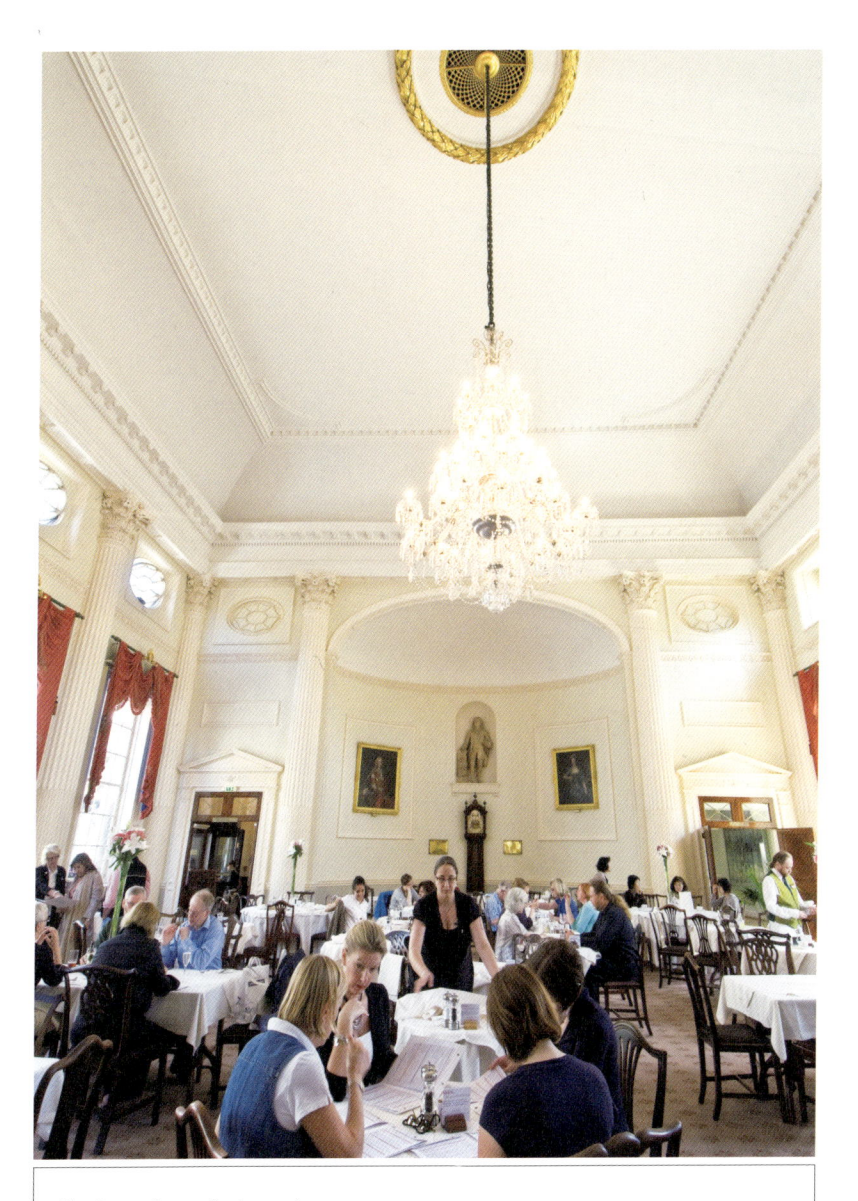

The Pump Room Restaurant
(ザ・パンプ・ルーム・レストラン)

Searcys, Pump Room, Stall Street, Bath, BA1 1LZ　※バース・スパ駅より徒歩で約10分。
TEL. 01225 444 477
Breakfast　　　9:30〜12:00
Lunch　　　　12:00〜2:30
Afternoon tea　2:30〜5:00(last orders 4:00PM) ※7月・8月のみ営業
Dinner　　　　6:30〜5:00
http://visitbath.co.uk/eating-and-drinking/the-pump-room-restaurant-p30351
※予約は出来ません。

1章　いざロンドンから南西イングランドへ

景観を保護したいという国民の意志でつくられたボランティア団体
ナショナルトラストについて

Trelissick Gardens（トレシックガーデン）

　貴族社会だった英国は、各地に昔の貴族や荘園主の邸宅や庭園、又所領だった広大な土地があります。
　その子孫がその遺産を維持できなくなり、屋敷や自然が荒れるのを防ぐ為に1895年に「ナショナル・トラスト」という民間団体が設立されました。
　会員の年会費や寄付金を基金として土地を買い取ったり、遺贈や寄贈された歴史的建造物や荘園、また所領の広大な自然地域を維持管理しており、有料で一般に公開しています。
　例えばピーターラビットの原作者、ビアトリクス・ポター（1866年〜1943年）は、湖水地方の4000エーカーもの土地をナショナルトラストに寄付していますし、ウィンストン・チャーチル首相（1874年〜1965年）は、自宅を永久保護の目的で寄付したことで有名です。
　イギリス政府は財政的な援助の代わりに、"ナショナル・トラスト法"を1907年に制定し、資産の取得は非課税にする等の制度的な特権を与えました。
　イギリス国内だけでなく、全世界から会員になることが可能で、現在は1人10ポンドから寄付できます。年間60ポンドの年会費を支払うと、イギリス中のナショナルトラスト保有の施設や庭園などに無料で入場できますし、ハンドブックや年3冊の冊子が送付されます。
　施設や庭園には色々な規模の物があり、半日、あるいは1日かけてたっぷり楽しめる場所もあります。カフェテリアやショップがある施設もありますので、事前にホームページでチェックしてみて下さい。開場時間、駐車場、カフェテリアの有無などが詳しく紹介されています。

www.nationaltrust.org.uk/

Knightshayea（ナイツヘイズ・コートのショップ）

CHAPTER 2

SOMERSET

サマセット州

ティールーム、キング・ジョンズ・ハンティング・ロッジの庭でのティータイム。

IVY HOUSE DAIRY FARM

［アイビー・ハウス・デイリー・ファーム］

素晴らしく明るい
オーガニック農法のクリーマリー

039

info

IVY HOUSE DAIRY FARM
(アイビー・ハウス・デイリー・ファーム)

Beckington, Frome, Somerset, BA11 6TF
TEL. 0137 830 957
http://www.ivyhousefarmdairy.co.uk
※一般の見学は不可です。
※バースから車で約30分。

2章　サマセット州

バースから南に16キロ、車で30分弱のベッキントンにとても美味しいクロテッドクリームを製造販売している酪農牧場「アイビー・ハウス・ディリー・ファーム」があります。

　ちょっとお腹に貫禄の出ている酪農牧場主のジェフ・ボウルズが出迎えてくれました。ジェフはすごく明るくて、元気の良いはきはきした人。握手をするとまず搾乳している現場や搾乳前の牛のいる囲いの方に連れて行ってくれました。

　この囲いはジャージーと言う種類の牛が搾乳をするために集められている場所。ジェフが「レディーズ！＝ご婦人方！」と呼びかけると、「何だ何だ？」と言う感じで牛が近づいて来ました。

　今までは、牛の顔にまで目が届かなかったのですが、よく見るとジャージー牛はすご〜く可愛らしい顔をしています。体もホルスタイン種ほど大きくなく、美しいキャメル色で、

クロテッドクリームの製造過程

①絞りたてのミルクをセパレーターという機械にかけてクリームとスキムミルクに分ける。②器を80〜85度の湯煎で2時間ほど加熱する。

大きな丸い目はとっても人懐こそうです。そうか乳牛は皆、牝牛だから「レディーズ！」。妙に感心して眺めていると、「牛はこう見えても意外とインテリジェントで、好奇心の強い動物なんだ」とジェフ。何だかすごく牛を愛している感じ。

　1980年初頭に独立してこの地で酪農牧場を始めたボウルズファミリーは現在は奥さんのキム、長男のダレンが中心となり10人のスタッフと共に切り盛りしています。ファームを始めて15年位たった頃から、自然環境を破壊せず、自然を維持しながら牧畜する農法へと転換しました。農薬や殺虫剤を使用しないで、周りの原生林や田園を守るように配慮し、生垣を整備して自然の林と牧場の境界を作り、池や水溜りを清掃したり、けものみちを保護したりしました。

　その結果、生産量は減りましたが、以前より多くの野生の動植物を見かけるようにな

③加熱したクリームを均等に混ぜて製品の器に注ぐ。④粗熱を取り冷蔵庫で1番寝かせる。⑤完成。

り、牛や他の家畜も健康になったのだそうです。「でもそれって実は、60年前までは当たり前のように行われていた農法なんだよね」と言っていました。「大規模な生産者は製品の均一性にこだわるけれど、ここのミルクやクリーム、バターはそれにこだわらない。だって、季節によって動物の生理環境は変わるのだから。例えば冬は干草を食べているけれど、春には野草が生えるし、夏は夏草、秋も、それぞれ季節の草を食べていれば、ミルクの味や乳脂肪の濃度も違ってくるでしょ」トラクターのような車に乗って牧場をまわりながらジェフが説明してくれました。本当にそうだなと思いました。

「60ヘクタールの牧草地をいくつかに区切って、牛を順番に放牧する事によって常にフレッシュな牧草を食べられるようにしているんだ。僕自身は夏のミルクの味が1番好きかな、夏草の味がするから……」何だか季節ごとのクロテッドクリームを試食してみたくなるような言葉でした。

　その後トレサビリティー（生産履歴）等にこだわりながらも伝統的な製法を守るクリーム工場を見学させてもらいました。クロテッドクリームは大量には製造が出来ないけど、ロンドンの有名店に毎日納品しているとのこと。味の違いは気候風土や牛の種類によるのかと考えていましたが、それだけで無く、丁寧に育てられた牛の美味しいミルクを、丁寧にクリームにするからこそ美味しい製品が出来るのですね。

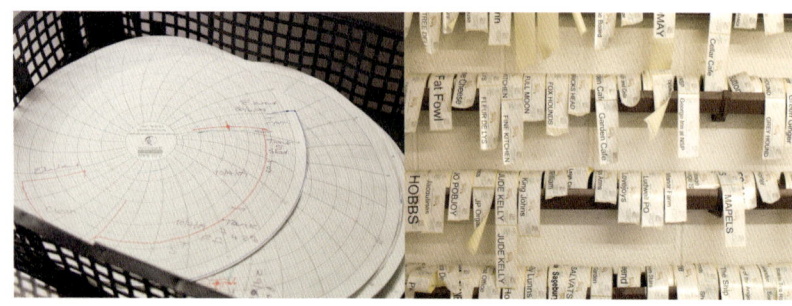

トレサビリティーを記録している用紙　　それぞれの販売先向けのラベル

ジェフさんの甥っ子が営むファームショップ

　ジェフさんの農場は取材で特別に入れて頂いたので、残念ながら普段は見学できないのですが、ジェフさんのファームから車で約25分、バースから車で約18分のところにジェフさんの甥っ子のトムさんが営むファームショップとカフェがあり、カフェでは軽食や飲み物が楽しめます。そこでジェフさんが作ったクロテッドクリームやフレッシュクリーム、ミルクを買うことができます。地元産ばかりを扱っているので、何かお土産が見つかるかも。

> info
>
> HARTLEY FARM SHOP & CAFE（ハートリーファームショップ）
>
> Winsley, Bradford on Avon, BA 15 2JB ※バースから車で約18分。
> TEL. 01225 864948 / http://www.hartley-farm.co.uk/
> ▶ Farm Shop
> Monday - Saturday　9:00～5:30
> Sunday　10:00～2:30
> ▶ Farm Café
> Monday - Saturday　9:30～5:00
> Sunday　10:00～2:00

2章　サマセット州

アプローチから見えるアビー

LACOCK

[レイコック]

ナショナルトラストに保護されている村
レイコック

CHAPTER 2　SOMERSET

LACOCK ABBEY, FOX TALBOT MUSEUM & VILLAGE
［レイコック・アビー&ビレッジ］

ハリーポッターの撮影現場を訪ねて

　レイコックは、映画『ハリーポッター』でホグワーズ魔法学校のロケ地となった、レイコック・アビーと言う修道院のある人気の観光地。バースから北東へ車で約40分の所にあります。町の歴史は13世紀までさかのぼり、町のほとんどの建物が数百年前の物ですが、そこで人々は現在も変わらずに生活をしています。まるでタイムマシーンに乗って中世に来てしまったような可愛らしいこの村は、全体がナショナルトラストにより保護されています。そのため車での入村は禁じられており、村の入り口近くの駐車場に止めることになっています。

　1232年から1539年まで修道院として使われていたレイコックアビーは、その後ウイリアム・シャリントン卿が買い取り、邸宅として改装しました。19世紀には最後の住人、近代の写真技術の生みの親とされるフォックス・タルボットが長らく住んでおり、その邸宅にも入ることができますが、撮影は禁止でした。

　建物の横の入り口から中に入ると、修道院の回廊が

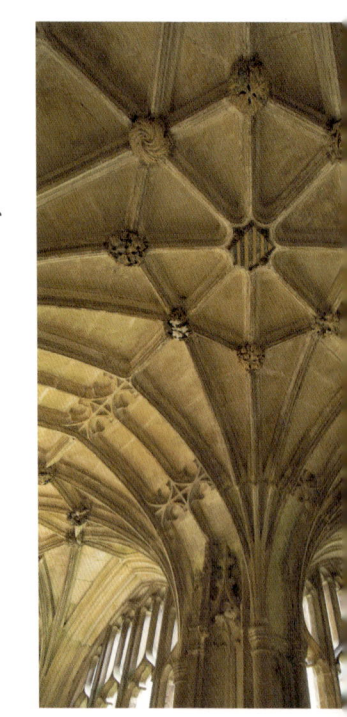

目にもまぶしい緑の芝生の中庭を四角く囲んでおり、上を見上げると天上のアーチ部分に、不思議な形の飾りが付いているのが見えました。よく見ると、それは花や、貝殻、鳥、ヘビなどのモチーフ。天井を見ながらぐるりと1周してみると回廊の一角に、『ここがハリーポッターの撮影現場』と書かれた看板が立てかけてありました。「そうか! ここが彼らが活き活きと歩き回っていた廊下だったのね……」と感激しながら外に出ると、敷地の周辺の広〜い緑地で、たくさんの羊がのどかに草を食べていました。空は青く、白い雲がポッカリと浮かび、とっても平和で心が静まる風景でした。

047

> info
>
> Lacock Abbey, Fox Talbot Museum & Village（レイコック・アビー&ビレッジ）
>
> Lacock, nr Chippenham, Wiltshire SN15 2LG　※バースから車で約40分。
> TEL. 01249 730 459
> ▶ Abbey　3月下旬〜10月下旬迄の火曜日を除く毎日11:00〜17:00。
> ▶ Museum 11月〜2月中旬迄の週末11:00〜16:00。2月下旬〜10月下旬迄の毎日10:30〜17:30。
> http://www.nationaltrust.org.uk/lacock/

アビー内の回廊

2章　サマセット州

KING JOHN'S HUNTING LODGE
［キング・ジョンズ・ハンティング・ロッジ］

超有名なおばあちゃんの店

　レイコック村の歴史はとても古く、13世紀までさかのぼりますが、その村でも1番古い800年前の建物がMargaret Vaughanさん（マーガレット・ヴァーガン）経営の人気のB&Bとティールーム、キング・ジョンズ・ハンティング・ロッジです。大ヤカンのような目印のティーポットを横目で見ながら砂利道を歩くと、パッと目の前が開けて美しい濃いピンクのばらのアーチが見えました。その先は右側が緑濃いガーデン、左側に見える白い石壁にレンガ色のかわら屋根の建物がティールームです。
　マーガレット・ヴァーガン嬢は御年86歳になるとても愛想の良い、明るいお婆ちゃま。

049

キング・ジョンズ・ハンティング・ロッジ。キングジョンが狩猟の折りに立ち寄った狩猟のための館です。

美しい銀髪にチャーミングな笑顔でほかの若いスタッフと共に、キッチンから庭のテーブルまで常に気配りをして忙しく立ち働いています。本当に美しい笑顔で、「まあ、良く来たわね！ 今日はこの夏1番に暑い日じゃない!? さぁここに座って。まず冷た〜いホームメイドのレモネードをご馳走するわね!! 今朝、私が作ったのよ。お砂糖は控えめで、庭のミントも入れたの。」と言いながら大きなガラス製のピッチャーにたくさん氷が浮いた、見るからに涼しげな透明の飲み物をガラスのコップに注いでくれました。

マーガレット嬢は英国で有名な料理研究家です。昔は羊農家を夫婦で営んでいて、その頃から料理が得意だと評判でした。1975年にフローム（Frome）

入り口の上にグリーンの横長の看板に白い文字でTEA ROOMと書かれています。

でレストランを開業、瞬く間に人気店となりました。テレビや雑誌等にも登場し、多数の著書もあり、英国のイベントで来日した事もあるそう。そのマーガレット嬢が60歳の時、前の店を処分してリタイア（英国ではだいたい60歳で仕事を辞める）しようとしていた折に、売りに出されたこの古い建物に出会いました。彼女は自分の店を、現セトルのオーナーのジョン・アトキンソン氏に譲り、ここを買い取って、長い年月をかけてリニューアル、現在の素晴らしい庭と歴史的な内装の店にしました。美しく手入れされた庭だけでも100席近い椅子やテーブルが居心地良さそうに配置され、人々がゆったりと思い思いのティータイムを過ごしています。

　2人分のロイヤルティーを注文。ティー

不思議な形のスコーン

2章　サマセット州

キング・ジョンズのロイヤルティー（レイコック・ラムズは含まれません）

2章 サマセット州

冷た〜いホームメイドのレモネード。
(残念ながらこれはメニューにはありません)

マーガレットおばあちゃんのオリジナル、レイコック・ラムズ。

スタンドにはとんがり帽のような不思議な形のスコーン、プティフールとサンドイッチ、自家製のクロテッドクリーム（ジェフ・ボウルズの酪農場の物）と自家製の苺ジャムとアンズジャムが添えられています。不思議な形のスコーンはプレーンと全粒粉製から選べて、フ〜ワフワです。食材にもとてもこだわりがあり、「まず良心的で新鮮な食材を使う、これが1番大事。そして心をこめて調理をする」がモットーで、「英国でも自分でお料理をする人が減っているけれど、食の基本は絶対にハンドメイドよ!!」と食事情の話も尽きないのです。

King John's Hunting Lodge
(キング・ジョンズ・ハンティング・ロッジ)

21 Church Streer, Lacock, Wiltshire.
SN15 2LB
※バースから車で約40分。
TEL. 01249 730313
http://kingjohnslodge.2day.uk

2章 サマセット州

THE SETTLE
［セトル］

可愛らしい小道のある町
フローム、セトル

057

info

The Settle（セトル）

16 Cheap Street, Frome, BA11 1BN
TEL. 01373 465975
※バースから車で南に約30分。

2章　サマセット州

Frome（フローム）にあるCheap Street（チープ・ストリート）という石畳の細い路地は、なだらかなのぼり坂。中央に細く浅い窪みがあり、サラサラと水が流れているとっても可愛らしい小路には、それぞれの店の前にセッティングされたテーブルで人々が歓談しています。その小路の中ほどにセトルがありました。店の前にはテーブルが3組みあり、そこにも人が座っています。ティールームの店内は天井が低く、白っぽい石が積み上げられた石組の壁に、木製の家具、落ち着いたカジュアルな内装。軽いランチやティータイムが楽しめるティールームとして営業しています。店のオーナーシェフのジョン・アトキンソン氏はとても優しい語り口で私のインタビューに応えてくれ、セトルの店のイメージを「COSY（居心地の良い）」と表現してくれました。26才で独立し、前のオーナーのマーガレット・ヴァーガンさんが残した、「セトル」と呼ばれる大きな背もた

チープストリート

スコーンのショートケーキ仕立て

クリームティーセットとレモン・チーズケーキ

れ付き長椅子をそのまま店名にして開店しました。
　インタビューの最中にも隣のテーブルには小さな女の子を連れた女性が座り、女の子はアイスクリーム、ママはチーズスコーンと紅茶のティータイムを楽しんでいました。子連れでも、ちょっとしたスナックやティータイムが出来るくつろぎの場として、地元の人々にも人気なのでしょう。
　ペイストリーやお菓子は常時15種類くらい用意されています。茹でたポテトに色々な食材をトッピングするジャケットポテト、オムレツ、トーストサンドイッチなどの軽食もあり、昼食時から午後にかけてはたくさんの人々で賑わっていました。その小路には他にもベイカリーや、モダンなカフェや可愛らしいブティックが並び、観光地ではないのですが、楽しい午後を過ごせるスポットです。

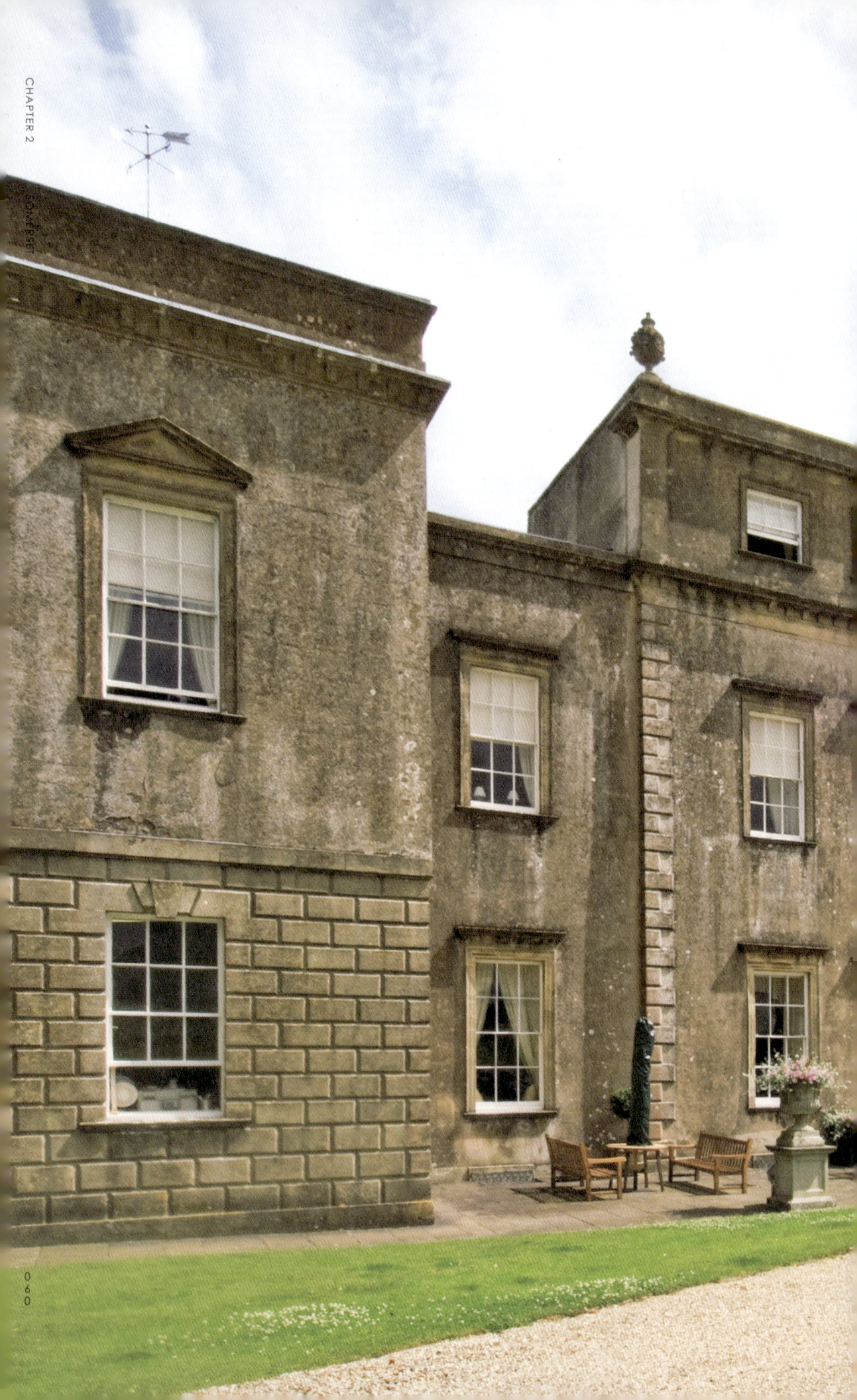

STON EASTON PARK

［ストン・イーストン・パーク］

マナーハウス、ストン・イーストン・パークでの体験
歴史的建造物でアフターヌーンティー

2章 サマセット州

正面玄関の奥にある大広間(サルーン)は近隣で最も美しい部屋として有名

優雅なアフタヌーンティー

「本当にこのへんに優雅なアフタヌーンティーが体験できるマナーハウスホテルがあるのかしら?」と思いながら四方を田園風景で囲まれた田舎道をドライブ。少し細めの道を石造りの塀沿いに走ると、突然、とても大きくて立派な造りの門にホテルの名前のついたプレートが見えました。壮麗な鉄格子のゲートから入り、またしばらくドライブすると、遥か彼方にようやくその古めかしい荘厳な建物が見えました。

ストン・イーストン・パークは、ホテルという華やかさは無く、由緒ある貴族の館といった趣き。16世紀より「ヒピスリー家」の住居で、館の主が替わる度に改装を重ね、1982年より部屋数19のマナーハウスホテルとなったそうです。客室は近代的な機能

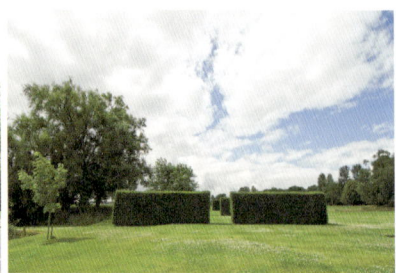

石の壁と正門

アフタヌーンティーをしたドロウイングルーム

を備えながら、内装は18世紀の古い館のシックな様式。36エーカー（東京ドームの約3倍の広さ）と言う広大な庭園は美しく手入れをされています。アフタヌーンティーは午後3時から5時の間にサービスされます。その日はホテルに宿泊するので部屋に入り、少し優雅な服装に着替えてフロントへ。「どこでアフタヌーンティーをいただけるのですか？」と尋ねると、「ティータイムは1階にある大きな広間サルーン、又はダイニングルームのソレル・レストラン、又はドロウイングルームで召し上がれます」「天気の良い日にはホテル入り口の前のパラソル付きのガーデンファーニチャーに座り、庭を眺めながら楽しめます、マダム」と言われ、ドロウイングルームを選びました。

2章　サマセット州

CHAPTER 2　SOMERSET

スコーンとクロテッドクリーム、ストロベリージャムがついたアフタヌーンティーのセット。

建物の西の端にあるドロウイングルームには大きな暖炉があり、そのマントルピースの上には古いロココ様式の時計や陶磁器の皿が左右対称に飾られています。もう一面の壁にはたくさんの絵が飾られていて、裏庭に面した壁には大きなガラスの窓が2つあり、燦々と光が差し込んでいます。窓から外の目にも眩しい緑の木立と芝生に囲まれた細い清流を眺めていると、予約をしていたトラディショナル・フル・アフタヌーンティーが運ばれて来ました。

　ティースタンドには、美味しそうなサンドイッチ、スコーンが2人分でプレーンとフルーツ入りの各2個、ジャムとクロテッドクリーム付き。それにチョコレートコーティングされたエクレア、チーズケーキ、キャロットケーキ、ラズベリーのタルトレットと4種類も。そしてお好みの紅茶のポットサービスというオーソドックスなものですが、品があって美しいセットです。すごく優雅で静かな時間と空間。日本の習慣に置きかえるなら、京都のお寺で庭園を眺めながら、お抹茶と和菓子を頂くような……。

プライベートガーデンと朝食

　ホテルの横に広がる自慢のヴィクトリアン・キッチン・ガーデンでは、専属の庭師により野菜や花が美しく維持、栽培されており、レストランで提供される野菜や果物の一部はここで栽培されているとの事。庭は石造りの壁で囲まれているのですが、ホテルのゲストは中を見学できると聞き、早速探検に。濃いピンクの蔓バラが美しく咲き乱れる入り口から中に入ると、白く細かい砂利が敷き詰められた小道があり、その先の両側にきっちり

朝食ダイニングのソレルレストラン。この他にメインディッシュはメニューから注文できる。

ガーデンの中にある温室ではキュウリやズッキーニ、ハーブ類などを栽培。

と四角く区画された緑の畑があります。それぞれの区画にはリーク（ネギ）や、ニンジン、キャベツにジャガイモ、ハーブ類、他に美しいバラや可憐な花々が整然と植えられていて、低く刈り込まれたツゲのような生垣で区切られています。中ほどに三角屋根の温室風のガラスハウスがあるのを見つけました。中に入るとトマト、ピメント、ズッキーニ、ナス、サラダ菜、ルバーブ等が植えられています。ちょうどキッチンの若いスタッフが四角いバスケットをぶら下げているのに出会い、中をのぞくと朝食用にさまざまなサラダ菜類と、ズッキーニやハーブが見えました。白衣にチェックのエプロンがキュートなので思わずパチリ、写真を撮らせてもらいました。ベリーが植えられている一角は、鳥にベリーをついばまれないよう、まるで大きな鳥小屋のように緑色の金網で囲まれています。小さなドアを開けて中に入ると、イチゴ、ラズベリー、レッドカラント、グーズベリーなどが鈴なりになっていて、欧菓子研究家としては凄く嬉しい景色でした。歩きながらそれぞれの実を1粒、2粒つまんで口に入れると、甘味と酸味が口中に広がり幸せな気分。そのうち、濃い赤紫色のグーズベリーの実が並んでぶら下がっている繁みがあり、1粒を口に入れると、えも言われぬ香りと甘みが口に広がりました。素晴らしく美味しい!! フレッシュな巨峰の香りにラズベリーの風味を加えたような、心地よい酸味と共に独特の深い渋みとコクのある甘さ、今まで食べた事のないベリーの味でした。湿気の少ない土地柄、ベリーが豊富でうらやましい限りです。

　もちろん優雅な朝食も最高でした。

info

STON EASTON PARK
（ストン・イーストン・パーク）

STON EASTON,NR. BATH,
SOMERSET,BA3 4DF
TEL. 01761 241 631
http://www.stoneaston.co.uk/
※バースから車で南西へ約30分。

2章　サマセット州

CHAPTER 2 SOMERSET

TEA BREAK COLUMN vol.2

酪農が盛んな州だから、おいしいチーズだってできるのです
チェダーチーズ発祥の地、チェダー

チェダー渓谷の清流

全て自然の素材や香辛料を使ったチェダーチーズ

バースから車で約1時間のサマセット州チェダー渓谷は清流や洞窟がある人気のスポット、そしてかの有名なチェダーチーズの発祥の地です。渓谷の中心地に近づくにつれて、空気が清々しくマイナスイオンたっぷり！ カーブした細い車道の脇をきれいな小川が可憐な夏の草花の下をさらさらと流れています。

歩いて行くと道沿いに洞窟の入り口の切符売り場の建物、石積みされた壁の上に建つ可愛らしいレストラン、お土産屋、リンゴから作るサイダーショップなどが並んでいます。洞窟探検をしたい気持ちを押さえながら、この地で唯一チェダーチーズを製造販売しているThe Ceddar Gorge Cheese Company（ザ・チェダー・ゴージ・チーズ・カンパニー）を訪ねました。

お店はやはり石造りでモダンな内装です。営業担当のMartin Pikett（マーティン・ピケット）氏からお話しを聞きました。12世紀から作られているチェダーチーズは19世紀以降機械化され、工場で大量に製造されるようになり、アメリカ合衆国、オーストラリア、ニュージーランドにも伝わり、商標登録などのプロテクションが無かったので生産地は世界規模の広がりになりました。チェダー地方の他のチーズメーカーも、不便な渓谷ではなく平地に機械化された工場を作り、大量生産する為に次々と移転して行ったそうです。

「ここでは手作業での工程が多く、コストは他社より高くなります。我々は出来るだけ伝統的な製造工程にこだわり、製品の95％をこの店舗で個人の顧客に販売しています。卸販売はしていません。」小さい規模の会社なので、経営的には楽ではないと聞き、「何故、この地にこだわり、大量生産に踏み切らないのですか？」と聞くと、「Just to keep the authenticity and to be honest」と答えてくれました。これは日本語で「本物であるという事を守る為、そして誠実さを守る為」

続けて、「誰かがここチェダーの地でチーズが作られていた事、その伝統を伝え、継承して行くかなかったら、その歴史や伝統は永遠に失われてしまうのです」

凄く感銘を受ける言葉でした。

日本でも様々な伝統文化の継承が問題になっているのでとても心に残るお話でした。また是非チーズを味わいに行きたいし、洞窟も探検したいと思いました。

The Cheddar Gorge Cheese Company
（ザ・チェダー・ゴージ・チーズ・カンパニー）

The Cliffs Cheddar Somerset BS27 3QA
TEL. 01934 742 810 / 10:00～19:00
※季節により時間が変わるそうです。
http://www.cheddargorgecheeseco.co.uk
※バースから車で約60分。

CHAPTER 3

DEVON
デボン州

マナーハウスホテル、ギドリー・パークの庭園を流れる小川。
木陰の向こうにホテルが。

CHAPTER 3　DEVON

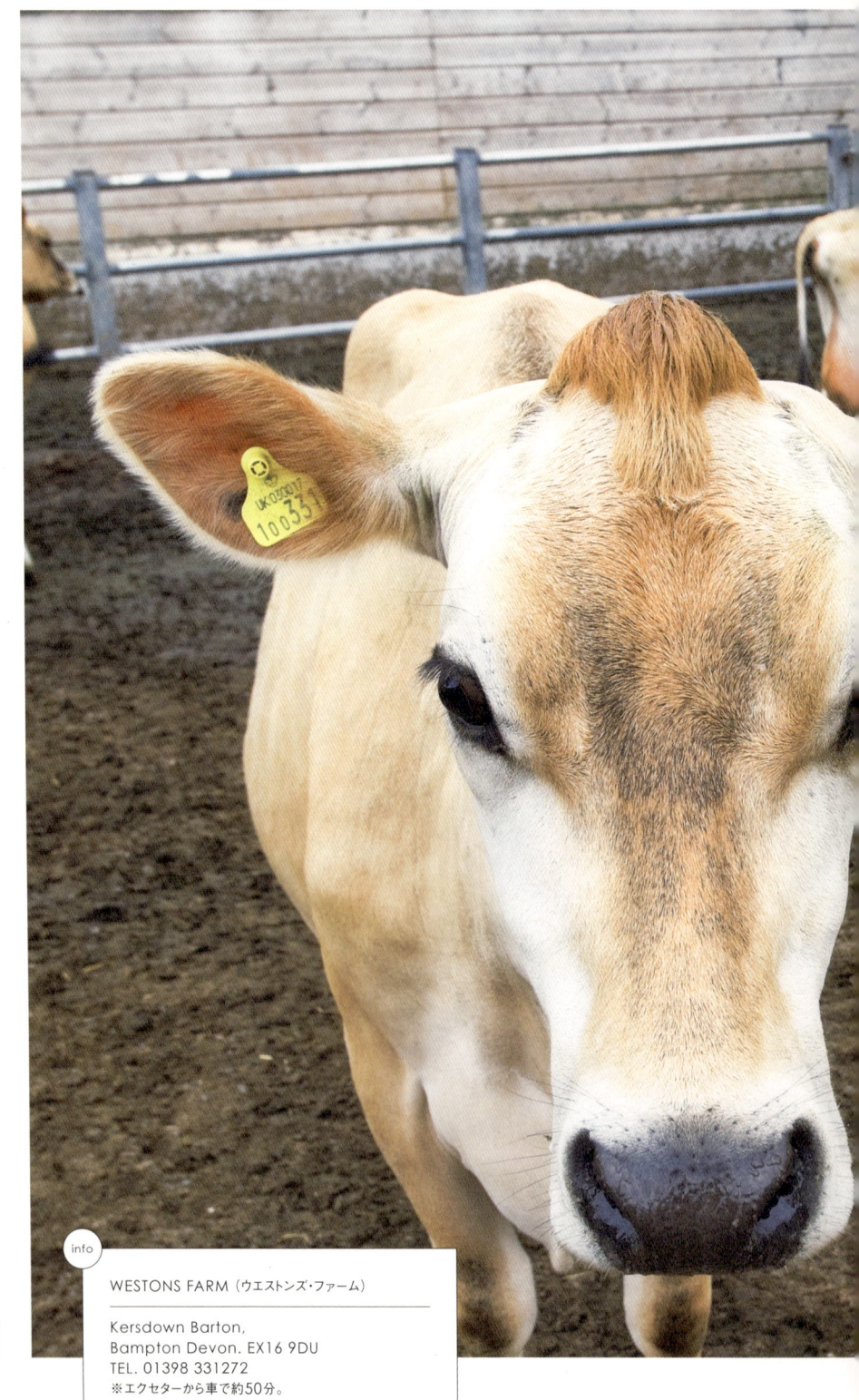

info

WESTONS FARM（ウエストンズ・ファーム）

Kersdown Barton,
Bampton Devon. EX16 9DU
TEL. 01398 331272
※エクセターから車で約50分。

070

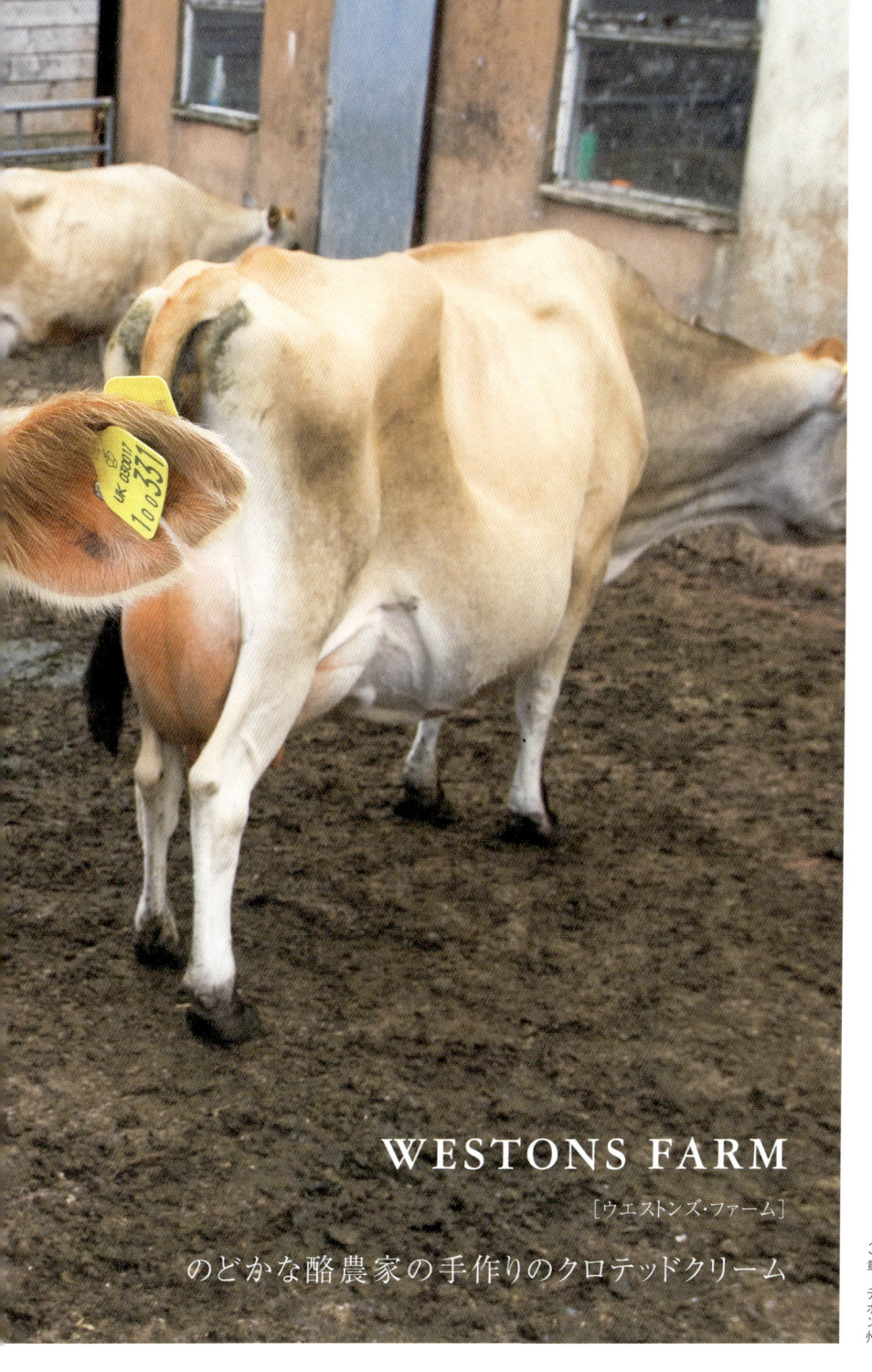

WESTONS FARM
[ウエストンズ・ファーム]
のどかな酪農家の手作りのクロテッドクリーム

3章　デボン州

ウエストン氏の邸宅

研修旅行で出会った幻のクロテッドクリーム

　2002年の年末、Cullompton（コゥランプトン）の酪農家で体験したクリームティーは、スコーンの美味しさもさる事ながら、キッチンで昔ながらの製造方法で作ったクロテッドクリームの美味しかった事！「死ぬまでに絶対にもう1度ここを訪ねたい。そしてこのクロテッドクリームをスコーンに付けて味わいたい」と強く思いました。

　その後思いがかない、この地を再び訪れることになったので、牧場主に連絡すると「酪農はしているが、クロテッドクリームの製造は止めました」という返事。とても驚きましたが、「どうしてもあのクリームを食べたい」と国際電話で必死に訴えると、「近隣で知人が同じようにクロテッドクリームを作っているので、紹介しましょう」との言葉。それがTiverton（ティヴァートン）の近くにあるウエストンズ・ファームだったのです。

　ネットで何回かやり取りをし、場所を確認して向かったのですが、例のごとくカーナビに翻弄され、いつの間にか草むらの細〜い小道に迷い込んでしまいました。必死にハンドルを握り神に祈りながらの運転の末、ようやく普通の道路にたどり着き、呆然としながら電話でだいたいの場所を告げると「どうやらすぐ近くに居るようだ、迎えに行くのでそこで待っていて下さい」と。地獄に仏とはこの事かしら。

クロテッドクリームの工程

①牛から搾乳した新鮮なミルクをすぐにセパレーターにかける。乳脂肪55％以上のクリームとスキムミルクが別々の注ぎ口から出てくる。②そのクリームを浅い容器に入れて、80度の湯煎で30〜40分加熱する。③それを1番冷蔵すると表面がゴールデンイエローのクロテッドクリームに。表面は本当に美味しそうな濃い黄色で、中身はこっくりとしたバニラ色。

到着すると、牧場主のウイリアム・ウエストン氏が早速牧場を案内してくれました。
　牧場は130エーカー、地平線まで広がる緑の草原には食用の牛160頭、羊300頭、その他乳製品用に飼っている自慢のジャージー牛30頭はジャージー島原産の血統書付き。
　朝と夕方2回搾乳してクリームを作り、ミルクは乳業会社に販売しています。約束の時間から大分遅れたのに、息子のニールは私達が到着するまで搾乳を待っていてくれました。最初は「何しに来たんだろう?」と言うような感じだったウエストン氏でしたが、私が自分の職業やクリームティーの魅力や疑問点などを話すうちに、「何でも見たい物を言って下さい」と言ってくれて、最後には何と! クロテッドクリームに特化した貴重な小冊子をプレゼントしてくれました!
　搾乳から製造過程まで見たところで、ウエストン氏が「家の中でティータイムはいかが?」と招待してくれました。日本から電話をした時に「出来たてのクロテッドクリームでクリームティーを体験したい」と話した事を覚えてくれていたのです。数年前に病気で奥さんが他界しているウエストン氏、わざわざ知人の女性に依頼してホームメイドのスコーンと苺ジャムまで用意してくれていました。私達が「美味し〜い」を連発しながらスコーンにたっぷりのクリームとジャムを付けてほお張っている横で、照れくさそうにしているウエストン氏。口数は多くないけれど、とっても優しい方でした。
　こうして体験できたクリームティー、そのクロテッドクリームのお味は……今回の旅行の中で1、2を争う美味しさでした。

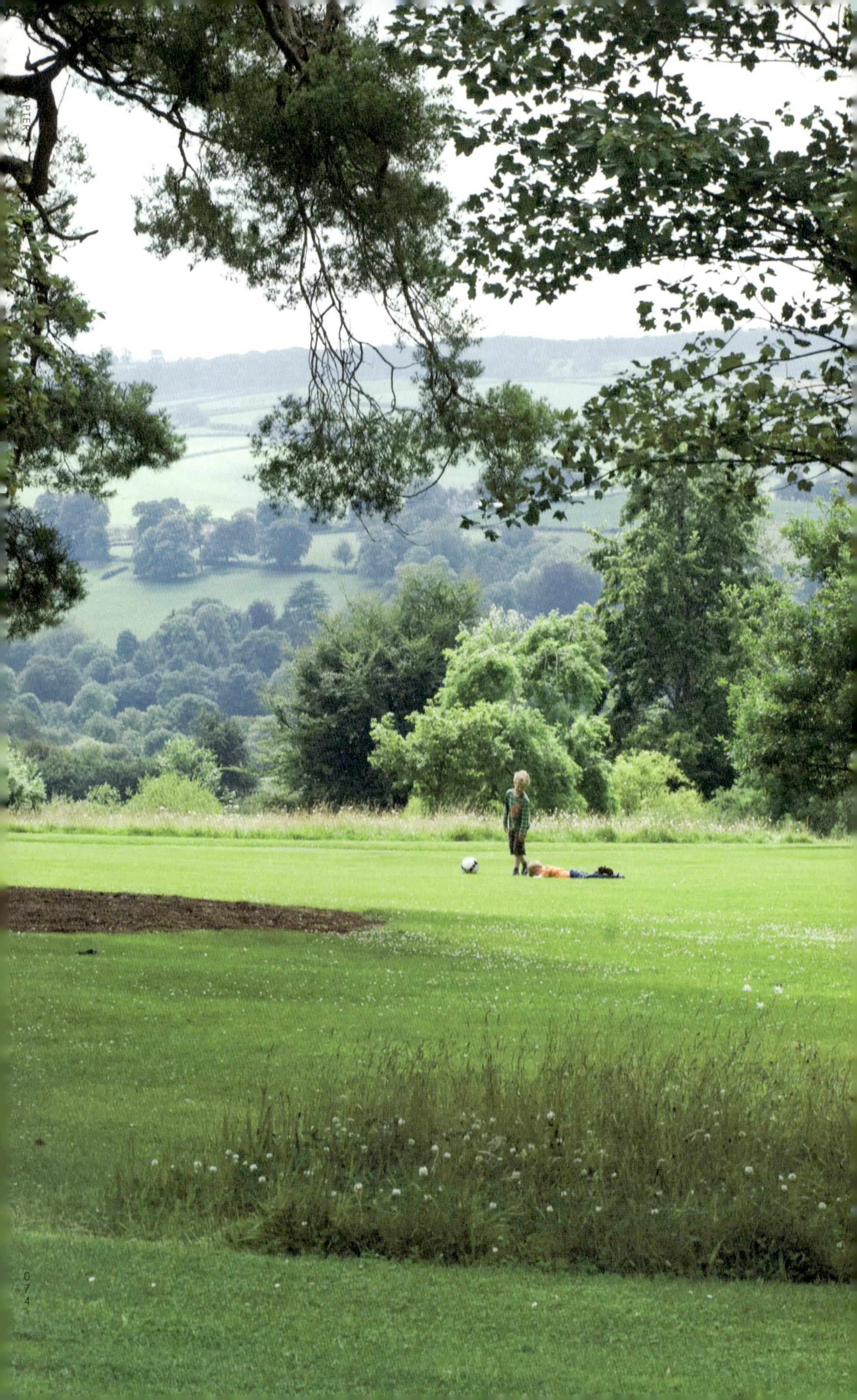

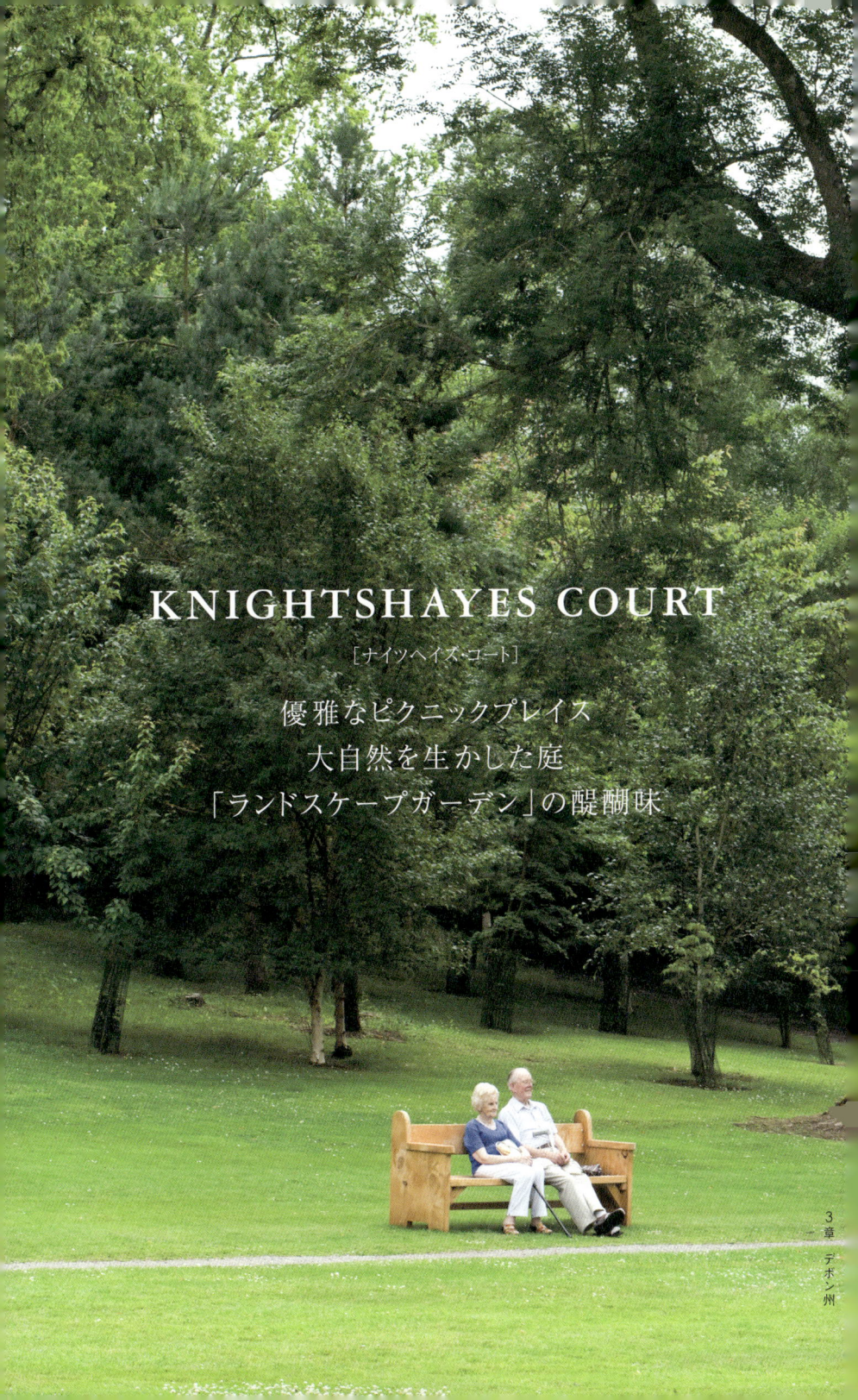

KNIGHTSHAYES COURT
［ナイツヘイズ・コート］

優雅なピクニックプレイス
大自然を生かした庭
「ランドスケープガーデン」の醍醐味

CHAPTER 3

DEVON

076

細くてくねくねとした道を進むと、「こんな所に？」と思う場所に、苔むすような古い石造りの門柱があり、Knightshayes Court（ナイツヘイズ・コート）と書かれた真っ赤な掲示板がありました。

　中に入ってしばらく車道を進むと、目の前に広大な緑の芝生の庭園に、巨大な木々が点在する空間が広がりました。圧倒的な規模！圧巻な景色！この庭園は、花や植木を楽しむだけではなく、自然の景観や様々な種類の植物を楽しむLandscape garden（ランドスケープ・ガーデン）という様式の庭園。

　様々な木々の森を散歩する庭、木々の下の緑地に自然のように花々を咲かせる庭、フランス式に幾何学に区切った庭等8つの区分があり、その他には、高い壁に四方を囲まれ、野菜や果物、季節の花が美しく植えられているキッチンガーデンがあります。

　ここはかつて貴重だった服飾用のレースを機械生産する事で財をなしたSir John Heathcoat Amory（ジョン・ヒースコートエイモリー卿）が、1874年に邸宅として建造したCourt（コート／邸宅）と広大な庭園です。かつてはここTiverton（ティバートン）に、大規模なレース工場があったそう。

　邸宅は当時とても有名だったWilliam Burges（ウイリアム・バージェス）氏のデザインと設計による贅を尽くしたヴィクトリアン様式の館でしたが、1973年よりナショナルトラストの所有となり管理・運営されています。とても奥まった所にあるのに、次々と車が入ってくるし、家族やカップルなど老若男女が三々五々散歩したり、ベンチに座って

景色を眺めたりしています。

　壮麗な邸宅は内部も見学する事が出来ますが、我々のその日の目的は、当時は馬屋として使用されていた建物を改装したStable Café（ステイブル・カフェ）でクリームティーを味わうこと。正面に時計と可愛らしい塔がある真っ赤な扉が目印の建物でアポイントがあると伝えると、カフェの責任者レズリーが迎えに来てくれました。赤がポイントに使われた内装のカフェは、馬屋とは思えない大きな建物で、四角い中庭の周りに回廊のように建てられています。ちょうどお昼時なのでカフェの入り口は長蛇の列。美味しそうなサンドイッチ、ケーキや焼き菓子が長いカウンター越しにディスプレイされていて、とてもおいしそう。軽食も注文できるそうです。レズリーに「ちょっと待っていて下さいね」と言われたので、先に庭園の探訪に向かいました。

3章・デボン州

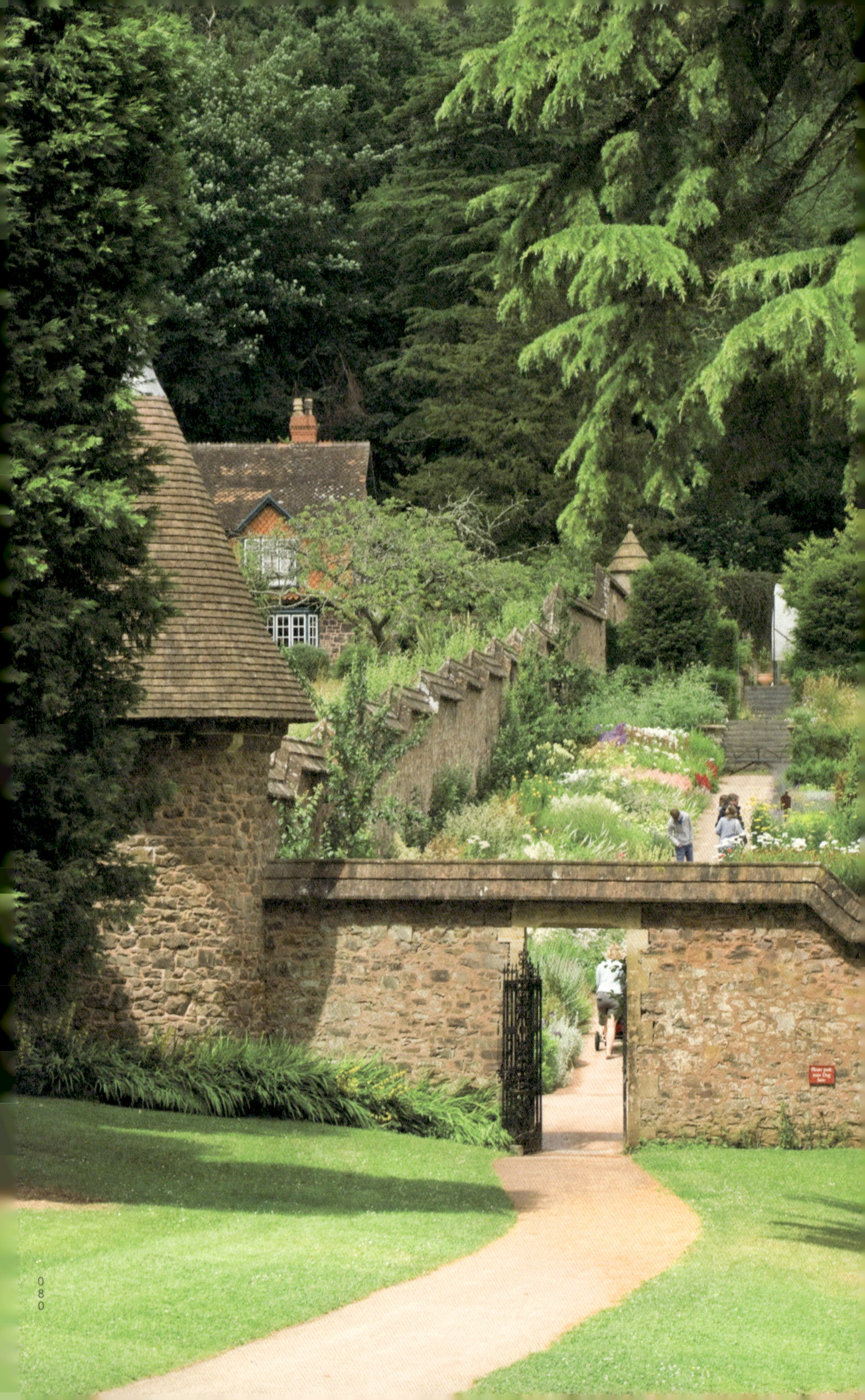

かつての大富豪の館「プライベートキッチンガーデン」

　馬屋を出て少し歩くと、四方に可愛らしい塔が立ち、美しい石造りの壁に囲まれたキッチンガーデンがあります。

　欧米の王侯貴族の城や館には、その持ち主専用の農作物を作る庭があり、「キッチン・ガーデン」と呼ばれていましたが、ナイツヘイズのキッチン・ガーデンは、サマセット州で行ったストン・イーストンの数倍もある規模の広さで驚きました。

　訪問者は自由に見学できるということだったので中に入ると、壁沿いに様々なベリー類が植えられていて、赤房スグリの真っ赤な房状の実が風に揺れています。その前にはピンク色の花が満開で、手前には色々な種類のミントが植えられています。右手はずっと奥の方までルバーブ畑、そのさらに奥にはイチゴ畑が広がり、時折吹いてくる風に何とも甘いイチゴの香りが漂っています。

　ネギやニンジン、ズッキーニにエンドウ豆などの野菜、その間に美しい花々が遥かかなたまで規則正しい配列で植えられていて……とても美しい光景。お花畑ではないけれど、本当に癒される空間でした。

さて、ようやくレズリーの手が空いてインタビューの開始です。「スコーンはフルーツ入りだけのサービスですか?」という問いに、「以前はプレーンも作っていましたが、何故かフルーツスコーンの方が人気なのでプレーンのスコーンは作るのを止めました」「ジャムも以前はアプリコットやラズベリー等も提供した事があるけれど、やはり絶大な人気はストロベリージャム」というお話。

気になっていたマーマレードについても聞いてみると、「ここ13年間スコーンでマーマレードの注文は受けたことはないわ」という答え。「やっぱりマーマレードは朝食用。トーストに塗って食べる物で、スコーンに付けるという発想はないわね」という言葉に納得しました。

最後の「スコーンを食べる時、クロテッドクリームとジャムとどちらを先に付けて食べるの?」という問いには、笑いながら「それっていつも議論になり、討論のもとなのよね。私は個人的にはまずジャムを塗って、それからクリームを付けるの」と答えてくれました。

広大な土地に魅力的で様々な特徴の庭園、美しい洋館に楽しいカフェやショップ。先を急がずにゆっくり楽しみたい素晴らしいガーデンです。

info

KNIGHTSHAYES COURT（ナイツヘイズ・コート）

Bolham, TIVERTON, DEVON, EX16 7RQ / TEL. 01884 254 665
http://www.nationaltrust.org.uk/knightshayes
11:00〜18:00（無休） ※エクセターから車で南東へ約40分

3章 デボン州

GEORGIAN TEA ROOM

［ジョージアン・ティールーム］

物語に出てくるような建物のティールームで
可愛らしいティーポットに囲まれて

GEORGIAN TEA ROOM
(ジョージアン・ティールーム)

35 High Street, Topsham, Exeter EX3 0ED
TEL. 01392 873 465
http://broadwayhouse.com
火曜日〜土曜日 8:00〜17:00
※エクセターから車で南東へ15分

3章 デボン州

トプシャムの大通り沿いにあるジョージアン・ティールームは、その名の通り、まさにジョージアン様式の建築物の中にあります。建物そのものはブロードウエイ（大通り）沿いに建っているのでブロードウエイ・ハウスとも呼ばれ、B&Bも経営しています。
　3階建てのブロードウエイ・ハウスの1階がティールーム。美しく整然と縦に並んだ鉄格子に囲まれています。1777年に建てられた赤レンガの四角い大きな建物には良い具合に蔦が絡まり、白い窓枠に中央玄関の緑色のドアがアクセントになっていて、なんだかメアリーポピンズの世界。玄関の両側には色とりどりのお花を寄せ植えしたハンギングバスケットが飾られ、建物の前面にはたくさんの草花が咲き乱れて風に揺れています。
　建物の右手奥には、やはりレンガの壁に囲まれたバックヤードがあり、大きな木の緑色の葉がそよそよとなびき、とてものどかな感じ。緑の芝生には白つめ草の花がたくさん咲いていて、壁には藤の木の蔓がはりめぐり、緑の葉が美しく繁っています。
　私たちが到着したのは4時頃だったのですが、庭の深緑色のガーデンファーニチャーでは、まだ数組の人々がくつろいで午後のティータイムを楽しんでいました。
　スタッフの人に声をかけると、中からちょっと年輩の小柄な婦人、オーナーのヘザー・メイ・ニーさんが出てきました。
　自己紹介して閉店時間ギリギリの到着を詫びると、「4時半は閉店時間だけれど、

まだお客さんもいるから大丈夫ですよ」と優しい言葉が返ってきました。ティールームは建物の正面の右側の角部屋。高い天井、白地にラベンダー色で昔の風景がプリントされた明るい壁紙、天井まである大きな窓には赤い花柄のエレガントなカーテンが下がり、白い窓枠にはよく見るとさまざまな形やデザインのミニチュアのティーポットがずらりと並べられています。
　そして大小のテーブルには、真白な布に、様々な色や形、デザインの花々が刺繍されている可愛らしいテーブルクロスがかけられ、ピンク色のカーネーションやスイートピーの花が小さな器に入れられています。とても可愛いのだけれど、甘すぎず、でもとてもロマンティックな雰囲気。「スィート」「ラブリー」「ガーリー」という言葉が私の頭の中をぐるぐる回っていました。

3章　デボン州

手に入りにくい貴重な品々。オーナーのこだわりコレクションにうっとり

　オーナーのヘザーは、地味な感じのシャイな女性。彼女の雰囲気とティールームのファンシーな内装の違いに戸惑いを覚えながら自己紹介をして、取材をお願いしました。

　テーブルクロスの刺繍の柄がそれぞれとても可愛らしいので、何処で入手できるのか聞くと、「テーブルクロスも、飾っているミニチュアのティーポットも、長い年月をかけて集めたもので、今ではなかなか手に入りにくい物なのよ」という答え。「本当に可愛らしいので、お土産に持って帰りたいくらい！」と言うと、思わずニッコリ。少し打ち解けて下さった様子でした。

　ここのクリームティーは、スコーン2個に地元産のクロテッドクリーム、ヘザー手作りのローガンベリーのジャム。

　彼女の実家は酪農家で、お料理がとても得意だったお母様の影響を受けて、彼女も料理好きになったそう。若い時に看護師になる為の研修でこの土地に来て、ご主人と知り合い結婚。元は病院として使われていたこの建物でB&Bを経営し始め、1998年にティールームをオープンしました。

089

3章 デボン州

あいにく当日のケーキや焼き菓子はほとんど無くなっていましたが、テーブルの上にティールームの食べ物のメニューの他に、もう2つメニューを発見。1つは紅茶のリスト。そしてもう1つのメニューには、何とヘザーのティールームで使われているすべての食材の生産者が載っているではありませんか！ 例えば卵は放し飼いの鶏のコブレイ・ファーム産、サーモンはマヌーカチップでスモークしたダートマスのマイク・スモークハウス産……と言うように。

　食材リストの表紙には、スターシェフであるマイケル・ケインズとヘザーが並んで談笑する写真がプリントされています。2006年に彼がヘザーを訪ね、二人の共通のこだわり、「地産地消」について話し合った時の写真とのことでした。

　そのリストの裏側に書いてあることがとても興味深かったので、紹介しましょう。

・・

- このティールームの食べ物はほとんど全て私のキッチンで調理しており、遺伝子組み換え食品は使用していません。
- 作りたてのローストビーフにヨークシャープディング、新鮮な野菜の付け合わせやローストポテトにグレービーソース。これ程美味しい物は他にはありません。
- 新鮮なブレムリー・アップルで作った正統なアップルパイ、ルバーブやグーズベリーのクランブルパイにデボン産のクリームを添えて食べる事。
- 人工的な油脂や保存料を使わず、デヴォン産のバター、放し飼いの鶏の新鮮な卵を使用したケーキ。
- 地元産のビールやエール、新鮮な材料を使ったパイ類。
- デヴォン産のフレッシュクリームを使用した作りたてのデザート。冷凍の物とは違います。

・・

　一番最後に書かれていた、『●私は毎朝、気持ち良く早起きしてスコーンや、ティーケーキ、パンやロールパンを手作りします』が印象に残りました。

　とってもシャイで、引っ込み思案なヘザー。でもいろんな話をしているうちに、彼女

のフードビジネスに対する内なる情熱がひしひしと伝わってきました。「店を構えてゲストに食べ物をサーブするという事は、ただ物を売ることとも違う。やはりこだわりを持つ人々が携わっているのだな……」とあらためて感じました。そしてヘザーの心の内側にある、乙女のような感受性、信仰心、純粋さやゲストに対する愛情が、この素敵なB&Bとティールームに集約されている事も分かりました。

そんな気持ちが通じたのか、最後にはジョージアンティールームのスコーンのレシピまで教えてくれたヘザー。

「このレシピは私の母のものなの。実は今まで、誰にも教えた事がないのよ」

彼女のはにかんだ顔が今でも忘れられないのです。

追記

この次は彼女のB&Bに宿泊して、朝食も食べてみたいと思っていたのですが、先日電話したら、今年で店を閉じることになったとのこと。あまにもショックで言葉を失いましたが、イギリスでは「60才からは第二の人生」という考え方がしっかりと根付いているときき、「それでも続けて欲しい」とは言えませんでした。もしかしたらこの本を手にされた方がいらっしゃる頃にはお店がなくなっているかもしれないけれど、こんなこだわりのティールームが存在していたことを知っていて欲しいと思い掲載しました。南西部には、ヘザーのようにこだわりを持っているティールームが他にもきっとある。私とヘザーの出会いのように、素敵な出会いがありますようにと巻末に情報サイトを掲載しています。

Gidleigh Park (ギドリー・パーク)

Chagford, Devon, TQ13 8HH, UK
TEL. 01647 432 367 / FAX. 01647 432 574
http://www.gidleigh.co.uk
※エクセターから車で西に45分
※要予約
※デヴォンシャークリームティー : 16ポンド
※アフタヌーンティー : 30ポンド

GIDLEIGH PARK

［ギドリー・パーク］

宝石のようなマナーハウス森の中の館

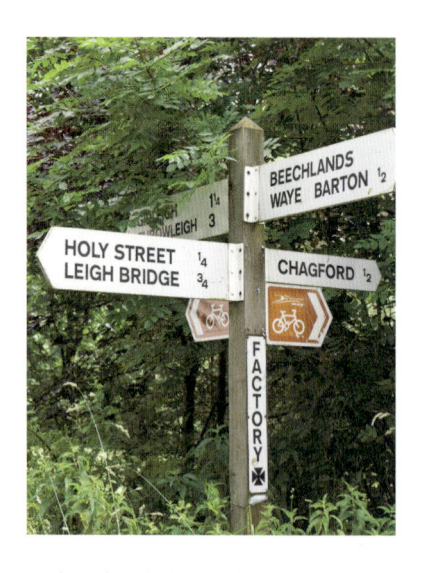

車で向かう途中、迷いに迷い、やっとチャグフォードに着いたのは午後5時過ぎ。

「本当にここを曲がるのだろうか？」と思うような細い道路を入って行くとその一角に「ギドリー・パーク」という緑色の看板が。その横を見ると車がやっと1台入れるくらいの細い路地が奥に続いています。

「ここ〜?! 本当にこの道を入って大丈夫??」と首をひねりながらも奥へ車を走らせると、まるで森の中の小径のような、木の根っこがむき出しの林道になってしまいました。

　ちょっと不安になった時、対向車が。「どうするの!?!」と茫然としていると、さすが親切なイギリス人、何とか行き交える所までバックしてくれました。窓越しにお礼を言って、「これはギドリーパークに行く道ですか？」と聞くと「大丈夫よ! 私達はそのホテルからの帰りだから」との返事にひとまずホッ。それからまた森の小径を走る事数分間。ようやくホームページで何度も見たチューダー朝の建

物が深い緑の木々を背に見えてきました。
　その山荘風の建物は、森の中にふさわしくシックな佇まいで、美しくひっそりと建っていました。少しも華美でなく、むしろこじんまりとした入り口を入り案内された部屋は、正面の庭が見渡せるバルコニーのあるとても明るい部屋です。
　部屋の窓からは広〜い芝生、その向こうに大きな木々の森と小川が見え、その先は遥か向こうまで緑の丘陵が続いています。
　遅く着いたにもかかわらず、こちらでも人々の対応は本当に親切。「約束の時間に遅れてすみません」と言うと「ダイニングルームはディナーの準備に入ります

が、それ以外でしたらどちらの部屋でもアフタヌーンティーがサービス出来ます、マダム」との返事。入り口のすぐ右手にあるドロウイングルームは、天井は高くないけれど、広くゆったりとしています。5か所ほどテイストの違うソファーセットとローテーブルが置かれていて、一角には大きな暖炉があります。重厚なインテリアながら、壁の2面に大きなガラス窓がある角部屋なのでとても明るい感じです。

その部屋の奥にあるバーコーナーの、さらに奥にとても可愛らしいガラス張りのコンサバトリー（サンルーム）が庭に面してあって、ちょうど4、5人座れそうなソファーセットが置かれています。いかにもコージー（居心地の良い）という雰囲気で素敵!

まず、コンサヴァトリーでアフタヌーンティーの撮影をさせて頂くことになりました。

スコーンはプレーンとフルーツが1つずつ。キャロットケーキ、チョコレートケーキ、フレッシュフルーツのタルトレット、レモンケーキ。サンドイッチはブラウンブレッドにガモンハム、スモークサーモンがそれぞれ挟まれていて、白い方はチキンサラダと卵のマヨネーズ和えのサンドイッチ。ショートブレッドはプレーンとレーズン、チョコチップス。それにアイスクリームのように美しく盛り付けられたクロテッドクリームとホームメイドの苺ジャム。クロテッドクリームはさっぱりとしていて甘みは少なく、少し乳酸の味がして、どちらかと言うとなめらかな発酵バターのような感じ。スコーンは周りがサクサクしていてビスケットのようなのに、中はふんわりとしてちょっと甘みを感じました。スコーンとジャム、それにクリームが合体して、3つの味が混ざるととっても美味しいのです。

空はまだ水色で、たくさんの雲が浮かび、まるで4時過ぎのような明るさ。すぐ側の空に飛び交っていたたくさんの鳥たちは、後で聞いたらツバメだそう。

日本にはない静けさ、誰の目も気にすることなく気の置けない友人とアフタヌーンティー……忘れられない時間となりました。

アフタヌーンティーだけでは終わらない美味なる食事でさらなる優雅な時間を

ギドリー・パークはもともとは1928年に住居として建てられました。54エーカー（何と東京ドームの4.6倍の広さ）の美しく広大な敷地に、緑に抱かれて建っています。

現在のオーナー、ブラウンスォード夫妻が2005年に前経営者から買い取って2006年に1年間かけて大改装し、2007年にリニューアルオープンしました。

部屋数は24部屋、料理はイギリスで有名なマイケル・ケインズが、総料理長として週のうちの数日滞在して監修しています。

撮影が終わりコンサヴァトリーで軽い食事をとりました。

フォアグラのテリーヌと地元産の牛肉のカルパッチョを注文。ちょっと贅沢にシャンパンで乾杯して軽いサパーという感じ。お料理もとても美味しくて、素晴らしく優雅な時間でした。

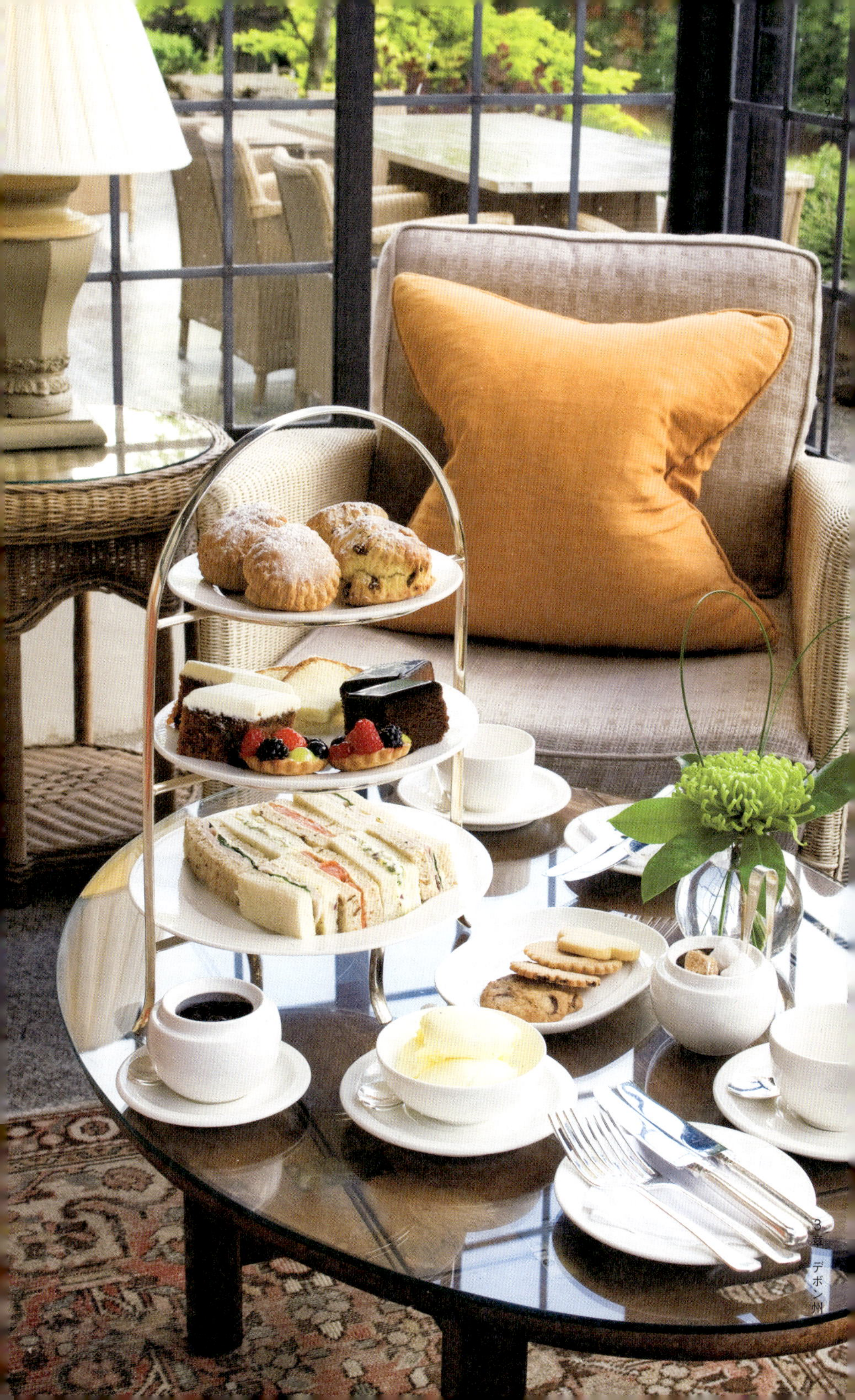

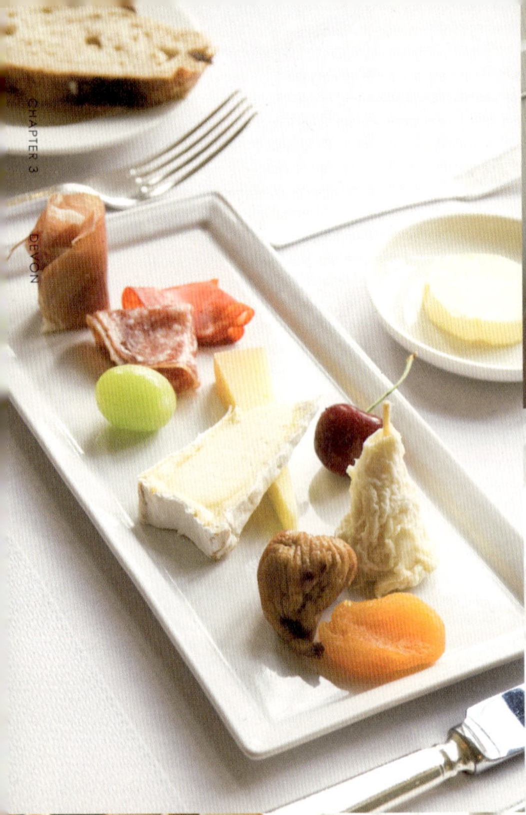

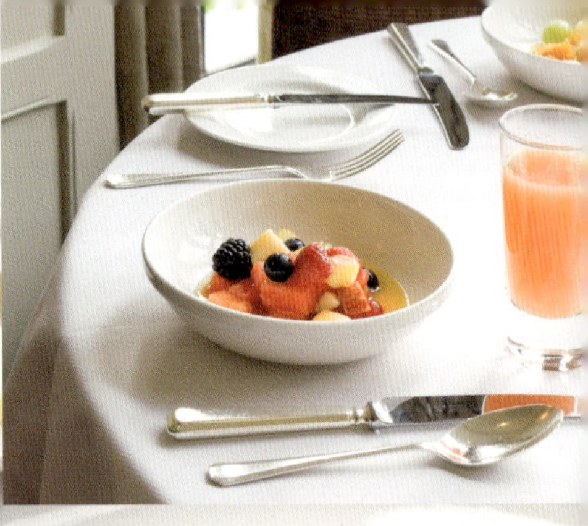

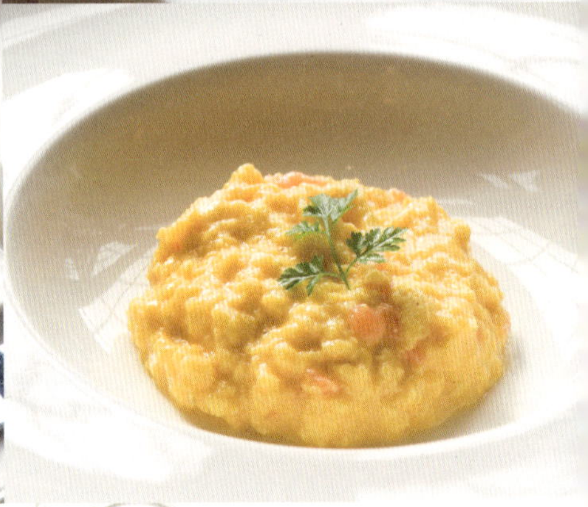

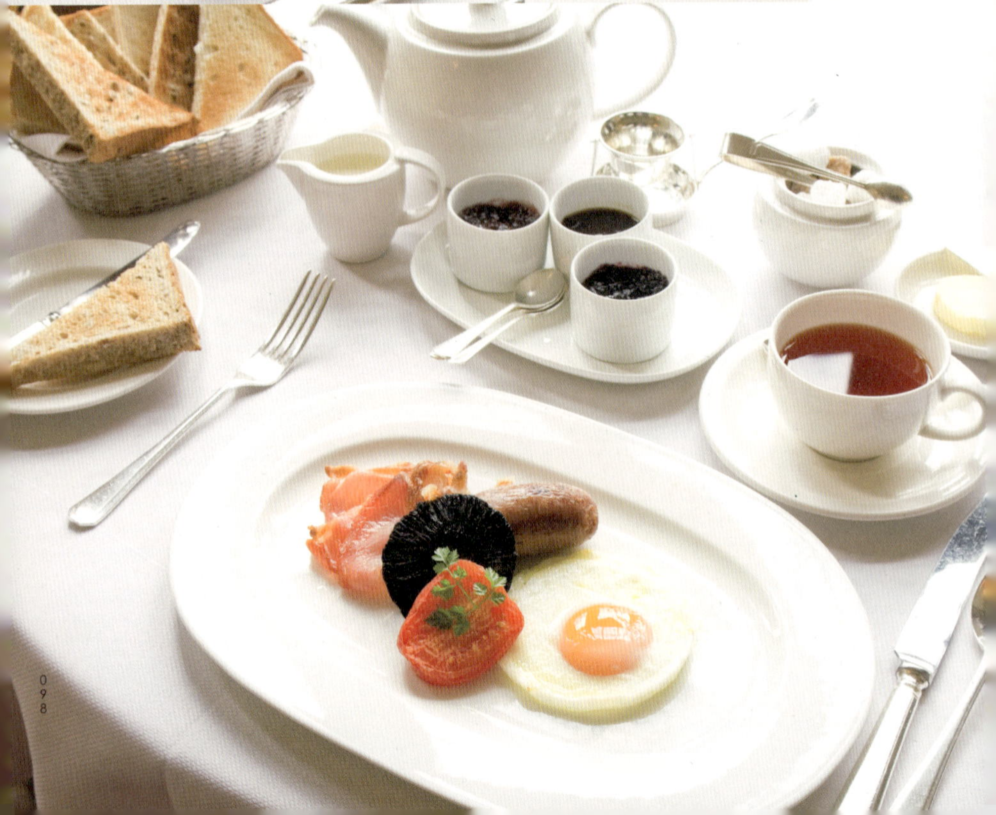

翌日の朝食では、ダイニングルームの隅にセルフサービス用の大きな丸いテーブルの上に、フルーツやシリアル等が美しくレイアウトされていました。
　シリアルはコーンフレークス、グラノーラ、ロールドオーツ。シリアルに加えて食べるように用意された、ドライフルーツ（レーズン・ドライバナナ・ドライパイナップル・ソフトドライアプリコット・フィッグ）、ナッツ（ココナツ・パンプキンシード・ミックスナッツ）。それにフレッシュなフルーツ（バナナ・マスカット・リンゴ）、フレッシュフルーツサラダ（スイカ・メロン・ブドウ・ブルーベリー・ラズベリー・ストロベリー・リンゴ）、フルーツのコンポート（西洋ナシ・モモ・アンズ・少しスパイシーな黄桃）、プレーンヨーグルト、ラズベリーやチェリーなどのフルーツ入りのヨーグルト、生ハム、サラミ、チョリソー、チーズ数種（イングリッシュチェダー・ブリー・ブトンドッグという不思議な形のフランス産のチーズ）、パン（レーズンとヘーゼルナッツ入りの美味しそうな田舎風の大きな丸いパン）、トースト（プレーンとブラン）、ジャム（ストロベリー・ラズベリー・カシス）。
　別のサイドテーブルにジュース（グレープフルーツ、オレンジ、アップル）とフレッシュミルクが可愛らしいバケツに氷と共に冷やされています。
　これらのビュッフェスタイルの食べ物を好きなだけ食べた後、温かい朝食用の一皿を注文する事ができるのですが、これがまたとっても美味。イングリッシュブレックファストの定番、特大ソーセージは洗練された盛り付け。スモークサーモンとスクランブルエッグは想像していたものと全く違う形で、まるでディナーコースの一皿の様！
　シェフに伺うと、クロテッドクリームはムーアランド・デイリーの物で、バターや他の乳製品もそこから購入しているそう。「ローカルな会社は距離が近いので、毎日新鮮な製品を配達してくれるところが良いですね」とのこと。ここでも「可能な限りローカル＝地元産の食材を使用しています」という言葉を聞きました。

BOYCES NURSERY, FRUIT FARM

［ボイセス・ナーサリー、フルーツファーム＆マンスツリー・ヴィンヤード］

誰でもベリー摘みが出来る Pick Your Own
英国の夏はベリー天国

& MANSTREE VINEYARD

3章　デボン州

ベリー・ピッキングができると聞き、楽しみにしていたのがこのフルーツとワイン用のぶどうの農園。

その日は、英国らしく曇ったり晴れ間が見えたりとくるくると目まぐるしく変化する日だったけれど、まあまあのお天気。

午前10時過ぎにトーキーのバーバコムからそれほど遠くないエクセターの郊外、シリングフォードと言う場所に向かって、いざ出発!!!

私達が訪ねた6月〜7月は、まさにベリー最盛期。農場では家族総出で、大きなプレハブハウスの受付、畑の管理、花の水やり、販売のためのベリーの摘み取りなどの仕事に追われていました。

英国では果物を自分で摘み取れる農園には「Pick-Your-Own（ピック・ユアー・オウン）」と言う看板が出ています。

農場主のティムと弟のサイモンは、15年前からこの地でファームを共同経営しているそうです。ティムは以前園芸店で働いていて、弟のサイモンがハンギング

バスケットの販売を始めたことから、園芸店が出来る土地を2人で探していたそう。この土地は元はフルーツ農園で顧客も付いていたけれど、リタイアをするために売りに出されていました。フルーツと共に花の栽培も可能とのことで、その畑ごと土地を買うことしたそうです。

現在はブドウ畑を作り、ワインも製造しています。生のフルーツ、冷凍のフルーツ、フルーツのジャム（冬の間にジャム作りをする）も販売しています。この地域は冬は雨が多いけれど、夏は乾燥した気候で、ベリー類の栽培にはとても適しているそうです。何て恵まれている環境。欧菓子研究家としては羨ましい限り！

来園者は好みの大きさのバスケットを選び、そこに同じ種類のベリーを摘んで、帰り際に重さを量ってもらいその値段を支払うシステムです。家族連れやカップルなど次々と人々が訪ねて来るけれど、農園は広いのであまり混んでいる感じはなく、皆のんびりとフルーツを摘んだり、ほおばったりしています。

丁度来ていたご夫婦にインタビュー。ラズベリーやブラックベリーのかごを持っていて、これから家に帰ってジャムを作るそう、何て素敵なウイークエンドライフなのでしょう！

お昼ちょっと前、目の前には青い空と緑の広い芝生が広がり、クローバーの花があちこちに白い模様のように咲いています。そこでお昼を食べたり、休んだり出来るようにテーブルや椅子が置いてあり、その向こうにベリーの畑が広がり、又そのはるか向こうには低く仕立てたワイン用のブドウの畑が続いています。

本当に静かで、美しい眺めです。

Tay berry　　　　　　　Raspberry　　　　　　　Blackberry

Loganberry　　　　　　Black currant　　　　　　Strawberry

イチゴの他に12種類ものベリーが!? 持参のタルトクラストにのせて色々アレンジ

　英国人はイチゴをはじめベリー類をとても愛する国民です。農園には12種類ものベリー類があるそうで、緑の葉陰にこぼれおちるように、色々な形状のベリー類が赤く色づいていて、すご〜く可愛らしい。

　摘みながらほお張るとそれぞれ違う酸味や甘み、香りが口いっぱいに広がります。

　ふと、「そうだ! それぞれのベリーを葉っぱも一緒に撮影しておこう!!」と思い付きました。これらのベリーでジャムを作ったら、どんなに美味しいかしら。

　まずサイモンにそれぞれのベリーの名前を聞いて、日本から持って行った白いお皿を出して、それぞれのベリーを可愛らしくアレンジして1種類ずつ撮影開始。我ながらウットリする可愛らしさ! 受付で働いている人たちは何をしているのだろうという顔で眺めています。

　摘みたてのベリーでお菓子を作りたいと思い、日本でタルトレットの生地を焼いて大事に持って行きました。やはり日本から持参した手作りのラズベリージャムを絞り、前々日に調達したクロテッドクリームをこんもりと盛り付け、穫れたてのベリーをアレンジしました。

　「ミントの葉があれば、撮影のために少しもらいたい」とお願いすると、興味深々で眺めていたお父さんがお店のミントを鉢ごと持ってきてくれました。可愛らしいタルトレットが出来上がると、近くの人々までが集まっていて、「ワンダフル!」と大騒ぎ。「タルトと一緒に」と淹れてくれたマグカップの紅茶が印象的でした。もう少し余裕があれば、色々と話も聞きたかったのですが、後ろ髪引かれる思いでその場を後にしたのでした。

Jostaberry

White currant

Gooseberry

Red currant

Red gooseberry

Black gooseberry

さっぱりした甘酸っぱさのグーズベリー

ベリー畑の向こうに見える、整然と植えられたワイン用のブドウ畑。

Boyces Nursery, Fruit Farm & Manstree Vineyard
(ボイセス・ナーサリー、フルーツファーム&マンスツリー・ヴィンヤード)

New Barn Farm, Manstree Road, Shillingford St. George, Exeter Devon, EX2 9QR
TEL. 01392 832218
http://www.boyces-manstree.co.uk/
※エクセターから車で南西に15分 ※火曜日〜日曜日 10:00〜5:00

衣はサクサク、中の魚はプリプリ、ジューシー
英国版ファストフード、フィッシュ&チップス

TEA BREAK COLUMN vol.3

お肉のロースト、プディング、サンドイッチ、スコーン、フィッシュ&チップスetc. 英国の伝統的な食べ物は色々ありますが、特に人気のファストフードのひとつがフィッシュ&チップス。

フィッシュ&チップスとは、コッド（たら）やハッドック（メバルの一種）などの切り身に衣を着けてサクサクに揚げた物と、チップスと呼ばれるたっぷりのフライドポテトのセットメニュー。油紙か容器に入れて上から塩と胡椒、モルトビネガーという黒いお酢を振り掛けて食べる、いわば英国版ファストフードです。お店によっては、お世辞にもおいしいと言えない物に当たる事もありますが、南西イングランドで素晴らしく美味しいお店に出会ったのです。

エクセターの南西部、トーキーという海岸沿いの街に滞在した時の事。近くのバーバコムと言う海岸沿いに、全英で1位、2位を獲得したフィッシュ&チップスのお店があると聞き、同行のカメラウーマン共々楽しみにして行きました。あいにく行きたかったひとつのお店は定休日でしたが、もう1軒のお店は営業中とのこと！

いざ店内に入ると、テイクアウト用のカウンターの奥にテーブル席があるのですが、お客は私達の他に1組だけ。「なんか空いてるけれど、本当に美味しいのかな〜？」とちょっと不安に。

席に着くとメニュー表があり、魚の種類もコッドの他にロック（メバル）、レモン・ソール（ひらめ）など6種類もあり、サイズもレギュラーとラージがあり驚きました。

待つ間にも次々と人が訪れて、フィッシュ&チップスを買って行きます。やはりフィッシュ&チップスはテイクアウト用の需要が中心のファストフードなのだと実感。レギュラーポーションを注文したのですが、運ばれてきたのは楕円形の大きなお皿にはみ出さんばかりの巨大なフライドフィッシュ、そして、山のようなチップス!!「これ、食べきれないですよね〜？」と言いながらまずはビールで乾杯！「キャ〜、こんなにたくさんのチップス?!」と大騒ぎしながら食べ始めました。

でもフォークで一切れを口に入れると衣がサクサクしていて少しも脂っこくなく、中の魚はプリプリ&ジューシーですごく美味しいのです。

①まずそのまま食べて、②次に添えられたレモンを絞り、③そしてテーブルのソルト&ペッパーを振り掛け、④次にモルトヴィネガーを振り掛けます。⑤最後に頼むと追加してくれるタルタルソースも添えて。と、5段階方式で味が楽しめ、合間につまむチップスとともに美味しく完食!!!今まで何度か食べて、それなりに美味しい記憶はありましたがフィッシュ&チップスがこれほどまでに美味しいとは。

ちなみに、毎年英国で1番のフィッシュ&チップスを選ぶコンペティションがあるそうです。さすがは伝統食ですね。
http://www.fishandchipawards.com/

Drakes Fish & Chip Restaurant
（ドレイクス・フィッシュ&チップス・レストラン）

64 Babbacombe Rd, Torquay TQ1 3SW
TEL. 01803 323302 / 11:30〜19:00
http://www.drakes-fishandchips.co.uk
※エクセターから車で約50分。

CHAPTER 4
CORNWALL
コーンウォール州

セント・アイヴス、テート美術館からの岬の眺め。

RODDA'S
［ロダス］

『空を飛ぶクロテッドクリーム』で
名高い老舗メーカー
ロダスでクロテッドクリームの歴史に迫る

取材した時点でのカンパニーロゴや看板はこれでした

4章　コーンウォール州

パソコンで歴史や製品工程について説明をして下さったロダ親子

　3つ目のクロテッドクリームメーカーは、コーンウォール州最大のコーニッシュ・クロテッドクリーム・メーカー、ロダスです。
　宿の主人に「車で15分で着く」と言われ張り切って出発したのに、道を聞くにも人が全くいない細い田舎の道をぐるぐる走り回る事に。約束の時間を1時間も過ぎてしまい、恐縮しながら受付の女性に謝罪をしていると、隣の階段をドスドス……とものすごい音を立てて男性が降りてきました。大柄で、見るからに明るく、とても魅力的な現社長のニコラス・ロダ氏でした。
「約束の時間に遅れて申し訳ありません!!」と言いながら2階にある事務所に案内されて行くと、そこでは小柄な老紳士が出迎えてくれました。
　彼も一見してとても魅力的、人懐こそうなまなざしにただ者で無い雰囲気を感じさせる4代目の社長アルフレッド・ロダ氏でした。何と親子2人して1時間も待っていてくれたのです!
　2人の前の机にはパソコンが置いてあり、「工場内は衛生管理上ご案内できませんが、このPCでロダスのクロテッドクリームの歴史や製品の工程について説明できます。何でもご質問にお答えできますよ」と話してくれました。最初はPCで古い写真を見ながら、ファミリー・ビジネスの歴史から伺いました。
　クロテッドクリームは、英国の南西部に金属の錫を求めて来たフェニキア人により伝えられたと言われ、かつては多くの酪農家により作られていました。当時は冷蔵庫が無いので牛乳からクリームを取り出して、加熱することで日持ちを長くするようにしていたのです。ロダスの歴史は1890年までさかのぼり、当初は家族で小規模にクリームを生産していました。

2代目のアルフレッドの妻が、クリームが日持ちするよう、それ迄の素焼きのポットでなくガラスのポットに詰めて販売する事を考案し、1920年にロンドンまで汽車で運搬して（何と、当時は6時間かかったそうです）販売するようになると規模が大きくなり、会社組織になりました。

　1948年には工場をオートメーション化したのですが、第2次世界大戦になり製造禁止に。終戦後1953年にクロテッドクリームの生産を再開して、現在は100軒以上の酪農家と契約して牛乳を集め、クロテッドクリームやダブルクリームを製造・販売しています。

　クロテッドクリームは牛乳の分量の6％〜8％しか作る事が出来ないそう。つまり1Lの牛乳から60〜80gしか作れないのです。

　残りのスキムミルクは他の企業に販売、カスタードクリーム、ヨーグルト等を作る材料となります。

　営業活動はしておらず、常に最良で安定した品質のクリームを、安定して供給してきた結果、評判になり顧客が広がったのです。でもそれは大変な努力と試行錯誤の結果に違いないと思いました。

ロダファミリーのこだわりのクリームティーのマナー

　営業活動はしていないロダスですが、過去に一度だけ小さな営業をした事があると聞き、興味を持ちました。

　1983年に4代目の社長アルフレッド・ロダ氏は小さな航空会社を訪ね、その航空機の中でのクリームティーのサービスを提案しました。その航空会社の社長はコーンウォール州出身で、契約が成立。飛行機の中でのクリームティーは口コミで評判が広まり、ついには英国の最大手ブリティッシュ・エアーウェイズでのサービスにまでつながりました。

　そして現在は世界中の空でロダスのクリームが提供されています。なんというアイデア！ 先見の明！ 最初から大手航空会社には行かず、地元企業からはじめるという賢さ!! そして今でも彼らはファミリー企業というスタンスを崩してはいません。最後にパパ・ロダ（アルフレッド）が面白い話をしてくれました。彼が小さい頃はコーンウォールではスコーンを食べる習慣は無く、クロテッドクリームはトースト用の四角い食パンを、焼かずにジャムを塗り、その上にクリームをのせて食べていたそう。

　サンダー・アンド・ライトニングという食べ方があって、やはり白い食パンにたっぷりのクリームをのせて、その上から蜂蜜かゴールデンシロップをかけて食べたそうです。「す

ご〜く美味しいけれど、とても高カロリーなので最近の人はあまり食べないね」と言っていました。ちなみにコーンウォール州におけるクリームティーの正しいマナーは以下の通りだそうです。

1. ティーバッグではなく紅茶の葉を使い正しい方法で紅茶をいれます。まず熱い紅茶をティーカップに注ぎ、その後でミルクや砂糖を入れます。
2. スコーンは横に水平に2つ割りにして、まずジャムを縁からたれない位に塗ります。
3. その上にクロテッドクリームをたっぷりとのせて食べましょう。

その後ケーキスタンドにたくさんのスコーンが、ジャムとその上にこれでもかと言うほど大量のクロテッドクリームをのせられて運ばれてきました。出来たてのクリームはそれはそれは美味しかったです。

---

info

RODDA'S（ロダス）

Scorrier, Redruth, Cornwall, TR16 5BU
TEL. 01209 823 300
http://www.roddas.co.uk
※一般の見学は不可です。
※エクセターから車で西へ2時間。※トゥルーローから車で西へ17分。

取材後、受付でクロテッドクリームをたっぷり塗ったスコーンを持ってにっこり。

CHAPTER 4 CORNWALL

TRELISSICK

[トレリシック]

有名な陶磁器メーカー・コープランドファミリーの館
トレリシック・ハウス&ガーデン

4章 コーンウォール州

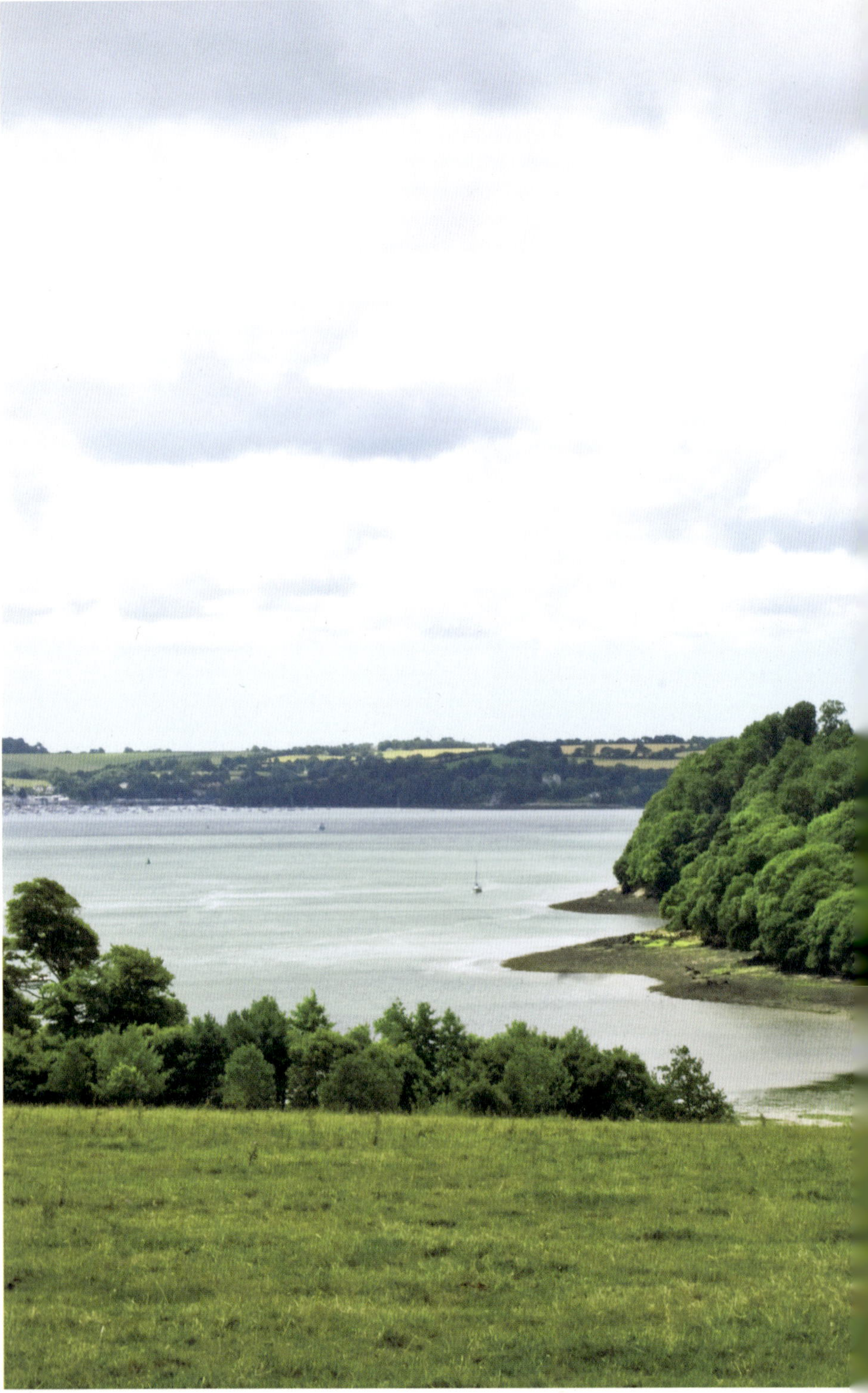

白亜の館の見えるランドスケープガーデン

　トレリシック・ガーデンはファル河とキャリック・ローズ河に囲まれた半島にあり、高低差のあるランドスケープタイプの庭です。とても珍しい樹木やシャクナゲ、アジサイのコレクションが有名で、気候が温暖なコーンウォール州では毎年5月から6月が見ごろとなるそうです。

　谷の底の方に行くと生い茂った樹木の根元には大きなシダのような植物が茂っていて、丘の上の方では緑の緑地に巨木が点在し、その向こうには今まで見て来た田園風景と違い、青く輝く水面が見えます。寛いでピクニックをしている家族や、散歩をしている人々、立ち止まって水面を眺めている人達……。他のランドスケープガーデンとは趣きが異なりますが、とてものどかです。

　このガーデンは1705年に開墾が始められ、この庭とザ・ハウスと呼ばれる大きな邸宅は、4人の所有者を経て1937年からスポードと言う陶磁器で有名なコープランド家が所有していました。

　376エーカー（東京ドームの32.5倍の面積）の庭園部分は1955年にナショナルトラストに寄贈されました。

遥かかなたに見える白亜の殿堂、パルテノン宮殿のような円柱に囲まれた邸宅ザ・ハウスは2013年までコープランド家の所有で、3代目の家族が在住していました。私達が訪問した当時は年に2回だけ5月と9月に期日を決めて屋敷を公開し、家宝のスポードやコープランドの陶磁器のコレクションを見学することができました。

タイミングが合わず見学が叶わなかった私は、「いつか絶対に見てみたい！」と思いながら帰国しましたが、今回の原稿を書くにあたり、ザ・ハウスの公開日を調べている時、驚愕の事実を知りました。

ネットの記事には、家主であるコープランド氏の以下の言葉「永年維持管理してきた屋敷や貴重なコレクションを、もっと広く人々に楽しんで頂きたいので、我々以外の人に託します」と書かれていました。なんと、コープランドファミリーは、2013年にその屋敷や付随する家宝、アンティークの陶磁器や絵画、家具類を全て公開のオークションで売却し、転居していたのです。

慌ててトレリシックガーデンを管理するナショナルトラストに問い合わせると、すぐに返答がありました。どうやらその後はトラストの会員等による多額の寄付により、その屋敷と家宝の一部をトラストが購入。現在は屋敷の一部を週に5日間公開しているとの事でした。今後の展開は検討中との事で、是非公開を継続してもらいたいと心から思いました。（状況は刻々と変わるようです。訪問の際はウェブサイトでご確認を！）

馬屋と納屋を改装したカフェでのクリームティー

　トレリシックのクロフターズ・レストランはグレーっぽい薄茶色の石の造りの馬屋と納屋を改装したカフェです。

　2007年に改装したインテリアはとてもモダンで明るく、中庭には大きめの白っぽい石が敷き詰められ、パラソル付きのテーブルと椅子が置かれています。

　建物の外壁に緑豊かなつる草を這わせていて、中庭に面して3つある大きなガラス張りの窓から緑の葉影と日の光が差し込み、居心地が良さそうです。ガラスの窓（と思ったら大きな扉でした）の外側は建物の窪みにテーブルと椅子がおいてあり、涼しげな席となっています。私たちが訪れた午前中はそれほど混んでいないので、写真の撮影をさせてもらいました。

　カフェではサンドイッチやお昼の軽食もサービスされます。お菓子はレモン・ケーキ、コーヒー・ケーキ、ヴィクトリアン・スポンジ、ミリオネアーショートブレッド、キャラメル・ショートブレッド、ヨーグルト・ショートブレッド、アップル・パイ、フルーツ・スライス、フラップ・ジャック等オーソドックスなティータイムのケーキ、そしてクリームティーセットが並べられています。クロテッドクリームはもちろん、ロダスのコーニッシュ・クロテッドクリーム。

CHAPTER 4
CORNWALL

デーツ・アプリコット・レーズン等を挟んだ、
フルーツクランブル。

レモンケーキ、レモンのクリームレモンカードが間に入っていて、
甘味・酸味具合が丁度良い。

取材時のクリームティー

最後にナショナルトラストのショップに寄りました。何だかとても美味しそうなファッジとバター・タブレットを発見。ファッジはいわゆる生キャラメルのような物で、タブレットは食感が黒砂糖の固まりのようにほろほろしていて、味はキャラメル味のお菓子です。荷物が重くなるのを覚悟して数袋買い込む事に。

帰国して食べたそのファッジとタブレットの美味し〜い事!!! 頭が痛くなるような甘さなのですが、口の中でとろけるクリーミーな食感、チョコレートとプレーンとラムレーズンのファッジ。あのファッジを買いに行くためにだけでも、南西イングランドに行きたい!! と思うくらいでした。

> info
>
> TRELISSICK（トレリシック）
>
> Foeck, near Truro, Cornwall, TR3 6QL
> TEL. 01872 862 090
> www.nationaltrust.org.uk/trelissick/
> ▶ Crofters Restaurant
> ガーデン・カフェ・ショップ 10:30〜17:30
> 駐車場：夜明け〜日暮れ
> ※トゥルーローから車で12〜15分

CHARLOTTE'S TEA HOUSE

［シャルロッツ・ティー・ハウス］

トゥルーローの歴史建造物
シャルロッツ・ティー・ハウス

Charlotte's Tea Hause
(シャルロッツ・ティー・ハウス)

Coinage Hall, 1 Boscawen Street,
Truro, TR1 2QU, UK
Tel. 01872 263 706
月〜土曜日 10:00〜17:00
※トゥルーロー市内

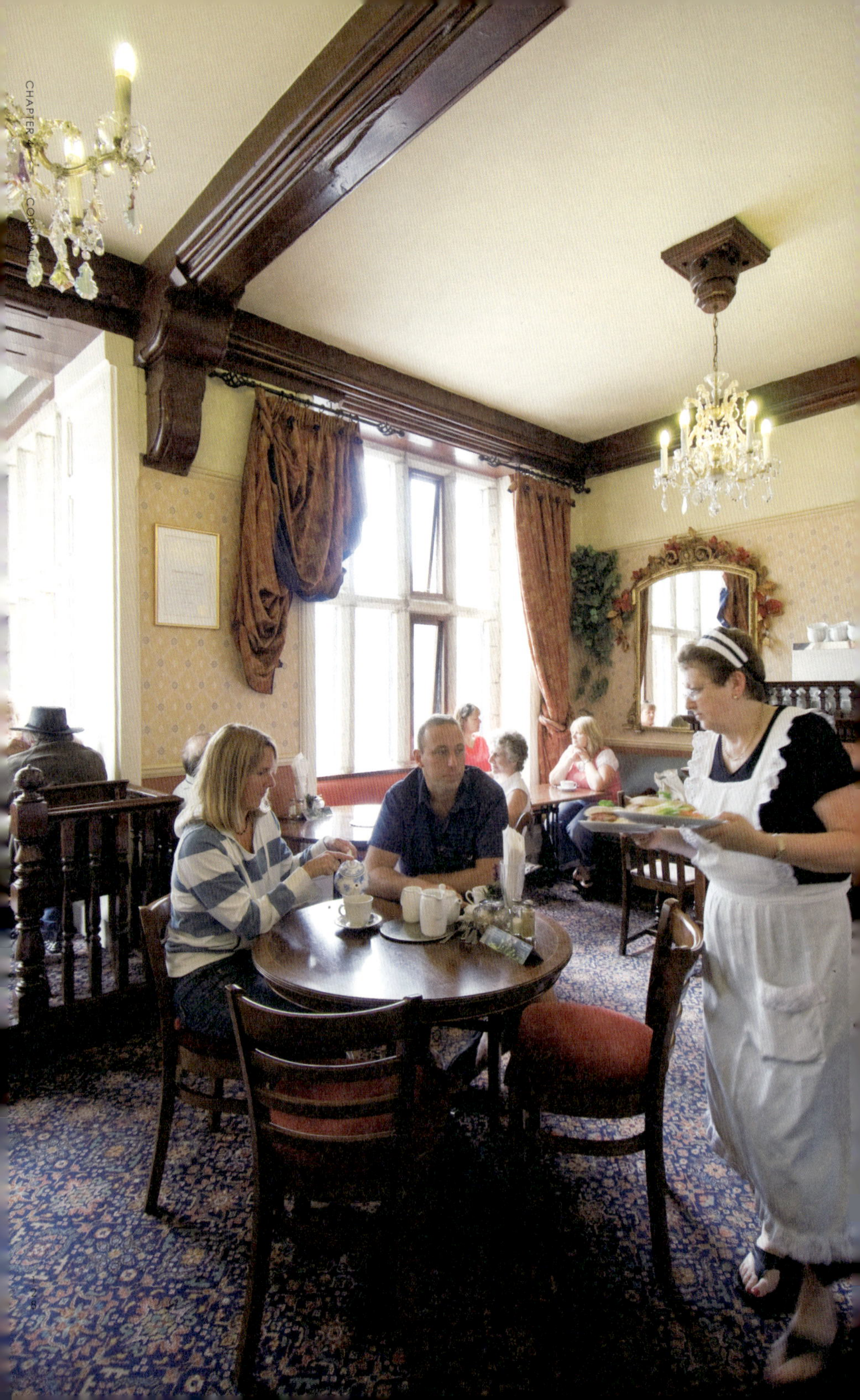

内装も服装も全てヴィクトリアン!

　このお店はコーンウォール州の州都トゥルーローにある古い建物コインニッジ・ホール、かつては硬貨鋳造所だった建物の2階にあります。トゥルーローは内陸地にありますが、広いメインストリートの側には河があり、たくさんのカモメの鳴き声が聞こえてきます。

　シャルロッツ・ティー・ハウスはグレーの石造りの建物の2階にあります。一階はピザ屋で、古びた建物の外側には全く何の装飾も無く、壁の石と同じトーンで「ピザエクスプレス」と表示されているだけ。「どこがティールームの入り口かしら?」とぐるりと建物の反対側に回り、ようやく入り口の小さな立て看板を見つけました。

　中に入ると玄関ホールは深いワインレッドのような赤い壁、目の前には古色蒼然とした階段が2階に向かっています。天井からは古めかしいシャンデリアが下がり、今にもヴィクトリア調のドレスをまとった女性が、階段の上から下りてくるような感じです。

　2階の廊下沿いには古い本がギッシリと詰め込まれた書棚が並ぶ小さな古書店、その向かいがアンティークショップ。そして細い廊下の突き当たりに私達が目指すティーハウスがありました。細い廊下の左側はとても古い感じのドロウイングルーム、突き当たりの入り口を入ると、正面には窓がいくつもあって店内はとても明るいのでびっくり。

　天井には古めかしいシャンデリアが煌めき、アイボリーの壁にかかる大きな鏡、古い絵画、奥の書棚の中の古書達、椅子やテーブルなどの家具等、まるで100年前に時間が止まったよう。でも不思議と何となくのどかで、くつろいだ雰囲気が漂っているのです。

　お店の一角にあるお菓子のショウケースも年代物で、そこに並べられているお菓子

コインニッジ・ホールの全景　　　ティールームへ向かう廊下

アンティークなショウケース。カスタード・ケーキ、レモンメレンゲ・パイ、トリークル・タルトなど。

がまた、もしかしたらビクトリア時代からそのままのレシピなのかしら?!? と思うほど、とても素朴です。サービスしている女性もビクトリア時代のティーレディーのような、白いレースのエプロンドレスとレースの髪飾りをつけています。

　店の中はたくさんの人々で賑わい、老若男女様々な人々が入り混じって、それぞれの時間を楽しんでいます。お店の貫禄のある女性に自己紹介と取材の件の話をすると、「オーナーはキッチンの中にいて今は忙しいので少し待っていて下さい」との事で、まず店の写真を撮る事にしました。けれどたくさんのお客さんがいて、「このお客さん達も写真に写ってしまうけれど、お店の写真を撮っても構わないですか?」と聞くと、その最古参の店員のレズリー・ワーンさんが、「大丈夫よ! みなさん構わないと思うわ。でも一応聞いてみましょう」と言って、突然大きな声で「皆さん! 日本からお店の取材にお客さんが来ているのだけれど、写真に写ると支障のある人はいますか?」と聞いたのです。お客達は皆にこやかに首を横に振ったり、笑いかけてくれて、とってもフレンドリーな雰囲気です。

　手の空いたワーンさんにお菓子の名前を聞きました。カスタード・ケーキ、レモン・メレンゲ・パイ、トゥリークル・タルト、アプリコット・スクエアー、アーモンド・スライス、フラップジャック、バタフライケーキ、キャロット・ケーキ、チェリー・ベイクウェル・タルト、ブラックベリー＆アップル・クランブル、レモン・ドゥリズルケーキ、キャラメル＆チョコレート・ショートブレッドと、どれも本当に素朴な形状の定番のケーキ達です。

（上）卵の風味が濃厚なカスタード・タルト　（下）シェリー酒の効いたティプシー・ケーキ

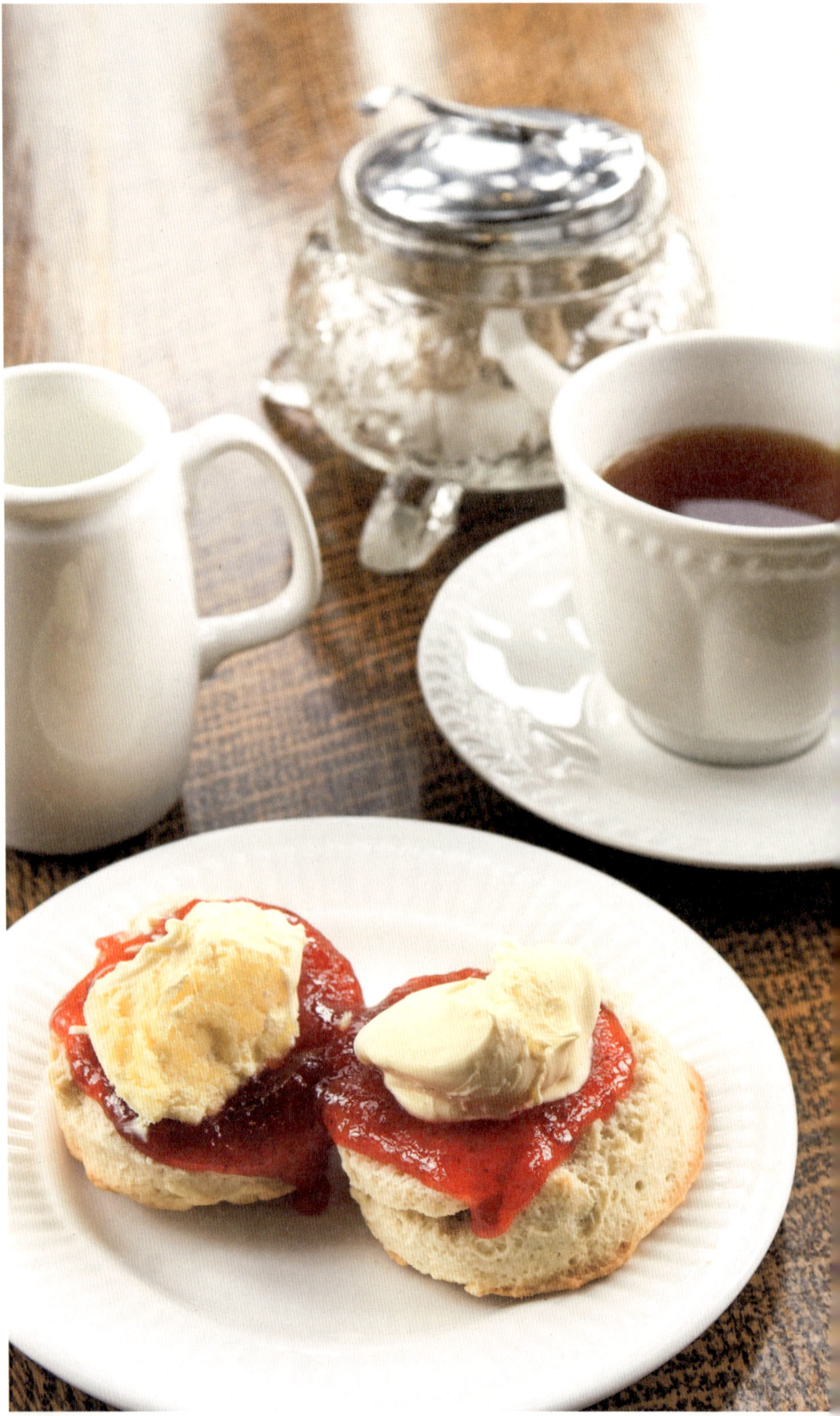

イギリスのティールームのケーキはオーナーのお母さんやお祖母さん、そのまたお祖母さんのレシピを踏襲していて、家庭の味や形が昔のままです。私が今回訪ねたお店には、今の日本のケーキ店のような美しいケーキはありませんでした。けれど椅子に座って紅茶と共にそれらのケーキを食べると、本当に心から寛げたのです。味わいは単純明快、甘いケーキの醍醐味が紅茶と共に楽しめました。

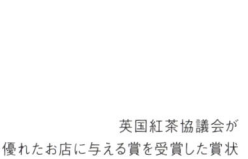

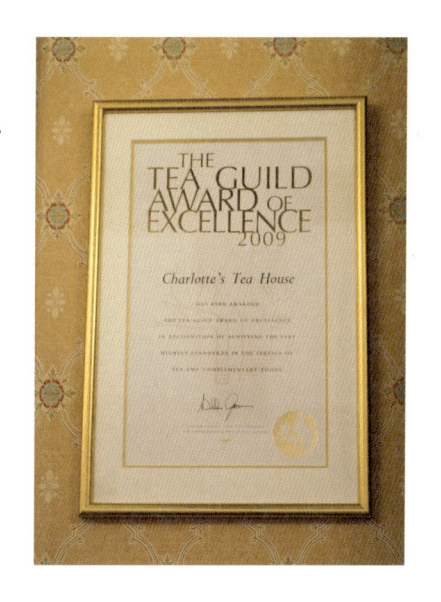

英国紅茶協議会が
優れたお店に与える賞を受賞した賞状

オーナーこだわりのクロテッドクリームと紅茶

　ひと通り店内の撮影も済み、お店のお勧めのケーキとコーニッシュ・クリームティーを注文しました。試食をすると今まで食べたスコーンの中でもダントツに小麦粉の味が際立っていて美味しい!

　少しするとオーナーのご主人マイク・ポラード氏が、キッチンから出てきてくれました。今日はこの店のシェフでもある奥様ジョアンさんが不在なので、とても忙しそうです。恐縮しながら、入って来た時に見かけたドロウイングルームに移動してインタビューを始めました。

　と〜っても古い外観と内装ですが、御主人たちがこの店を始めたのは意外にも8年前から。紅茶にはとてもこだわっていて、常時15種類くらいは用意してあり、「とても希少なコーンウォール産のトレゴスナンの紅茶を提供しています」と、とても誇らしげに話してくれました。このお店で英国のティーボード（紅茶協会）の研修会をした事、紅茶を美味しく淹れるにはお湯の温度や、浸出時間等が大事であると技術的な事にも話は及びました。

　そしてコーニッシュ・クリームティーの話になり、我々がその日の朝ロダスの社長や会長のインタビューをしてきた事を話すと、話が止まらなくなってしまいました。「毎日、スコーンは50個以上焼きますよ。種類はプレーンスコーン、フルーツスコーン、チーズスコーン。伝統的なコーニッシュ・クリームティーにはプレーンスコーンが定番です」「プレーンスコーン2個に、自家製のストロベリージャム、それにクロテッドクリームをたっぷりとのせるんです。ここのクロテッドクリームはロダスの特注品なんですよ」と、わざわ

ざクロテッドクリームをパッケージごと見せてくれました。
「我々は高品質な物を提供するべく真摯に努力しているんです」
　その後貴重な話をいくつかしてくれました。
　この地方の家庭では、クリームティーは来客の折りや、日曜日の午後に家族が揃った時等に食べられる事。スーパーでもスコーンは売られているけれど、家庭でスコーンを焼いたりする人も多くいて、皆手作りのスコーンと売られているスコーンの味の違いが分っている事。クリームはもちろんコーニッシュ・クロテッドクリームで、ジャムは伝統的にはストロベリージャム。でもラズベリージャムやブラックベリージャムでもOKな事。まずはジャムを塗って、その上にたっぷりとクロテッドクリームをのせて食べると言う事、など。
　サンダー・アンド・ライトニングという食べ方があると話してくれた時、ロダスでその事を聞いたと言うと「パンはトーストパンでも良いけれど、昔はコーニッシュ・スプリッツと言う丸い平たいパンを2つにスライスして、それにクリームと蜜をかけて食べていたんですよ」と話してくれました。
　さらに私が「スコーンはプレーンとフルーツ、それにチーズだけと伺いましたが、なぜその他の種類を焼かないんですか？　例えばチョコチップ入りや、レモンピール入りのように」と聞くと、「チーズスコーンは甘くないスコーンなので、甘い物以外を食べたい時に便利。プレーンかフルーツ入りはクリームとジャムにとても相性が良いから2種類だけで十分！　他の味はケーキや焼き菓子で味わえるしね！」との事でした。
　そして、「小麦粉の香りがしてとても美味しいスコーンだったけれど、どんな小麦粉を使っていますか？」と聞くと小麦粉を袋ごと見せてくれました。何と、私が大好きなマクドゥーガルの小麦粉。それがとても嬉しかった事を今でも昨日の事のように思い出します。

ビクトリア時代の衣装を着たサービスレディー。向かって左がレズリー嬢、右がリサ嬢。

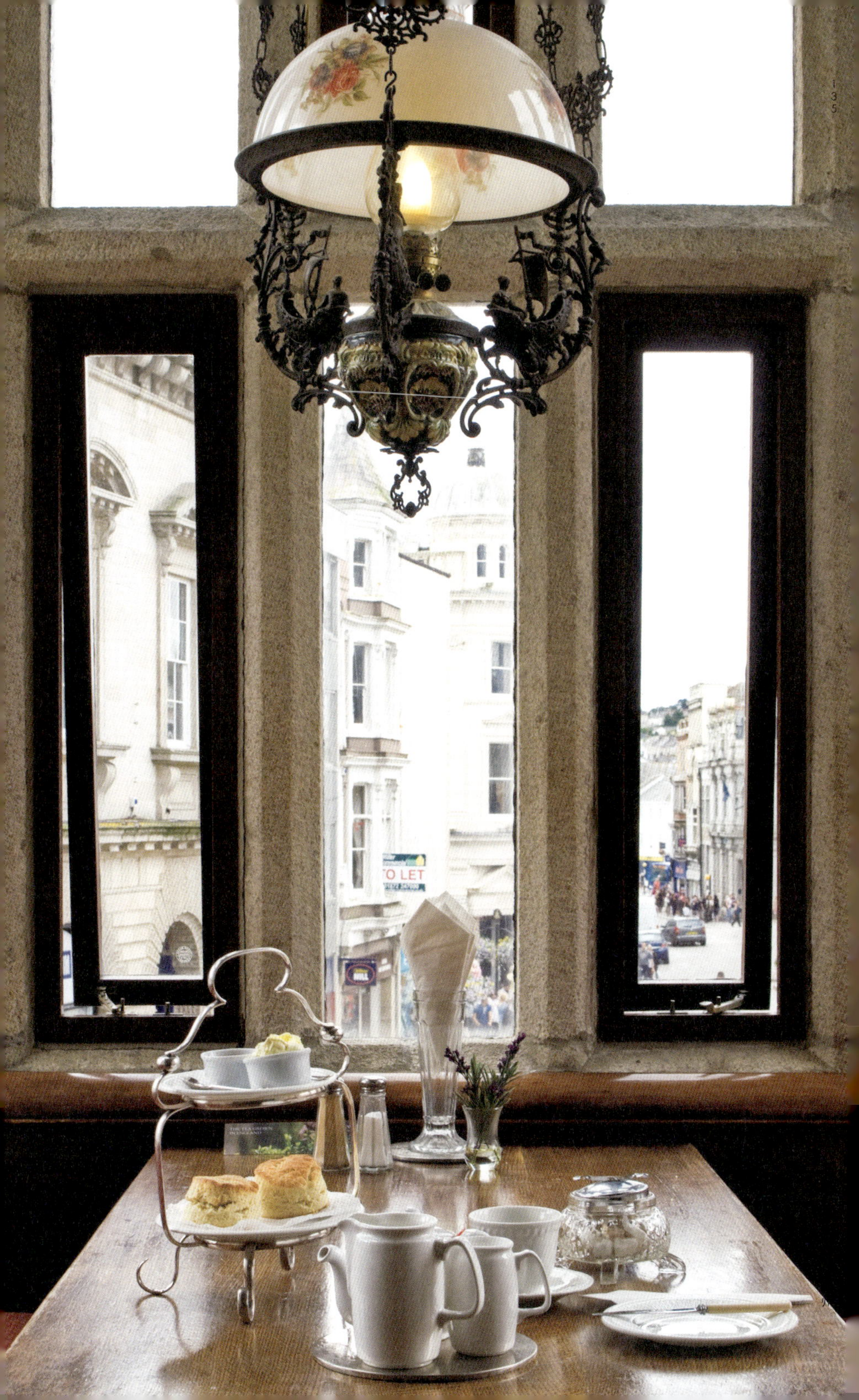
TO LET

TATE ST. IVES

［テート・セント・アイヴス］

海辺の白亜の現代美術館

4章 コーンウォール州

岬に広がる街の風景

CHAPTER 4
CORNWALL

　　セント・アイヴスは、コーンウォール州の最西端の半島の北側、岬の先端にへばりつくようにあるリゾート地です。元々は小さな港町でしたが、1920年頃から美しい海岸や明るい陽光を求めて芸術家たちが移住し、活動するようになりました。
　　日本の陶芸家、濱田庄司と友人のバーナード・リーチが窯を作り、女性彫刻家のバーバラ・ヘップワース等が活躍し前衛芸術の拠点となったのです。その後1980年代には芸術的にも観光地としても一度衰退しましたが、テートギャラリーがかつて活躍した芸術家たちの足跡を見直すべく、その地で活躍した

円筒形の白亜のエントランスは、とてもモダンで目立ちます。

アーティストの展覧会を次々と開催。地元の人々も町おこしの為に署名活動をし、寄付を集めた末に1993年にテートの分館、テート・セント・アイヴスが開館しました。テートとは英国政府所蔵の美術・近代美術のコレクションを管理する組織です。

　もともとは角砂糖製造の特許で財をなしたサー・ヘンリー・テートがロンドンのナショナルギャラリーに寄付した絵画のコレクションを展示する為に1897年にナショナル・ギャラリー・オブ・アートが開設された事から始まります。後にロンドンにテート・ブリテンとテートモダン、リバプー

4章　コーンウォール州

ルにテート・リバプールが開設され、ここテート・セント・アイヴスの4つの美術館からなるザ・テート・ギャラリーという国立の美術館グループとなったのです。

　小さな入り江、美しい白い砂浜が目の前に広がるポートメア海岸の際に建つ白い円形のエントランスの美術館は、現代美術や前衛美術の殿堂として、今もとても人気があります。

　私達が訪ねた時にはちょうど英国の女性陶芸家、ルーシー・リーの作品が展示されていました。白や瑠璃色の器は不思議な美しいフォルムで、日本で活躍したバーナード・リーチとの交流の影響もあるのか、何となく東洋の焼物の風情を感じました。

円筒形の部分の2階からの眺め。白い砂浜、青い海、青い空が目に飛び込んできます。

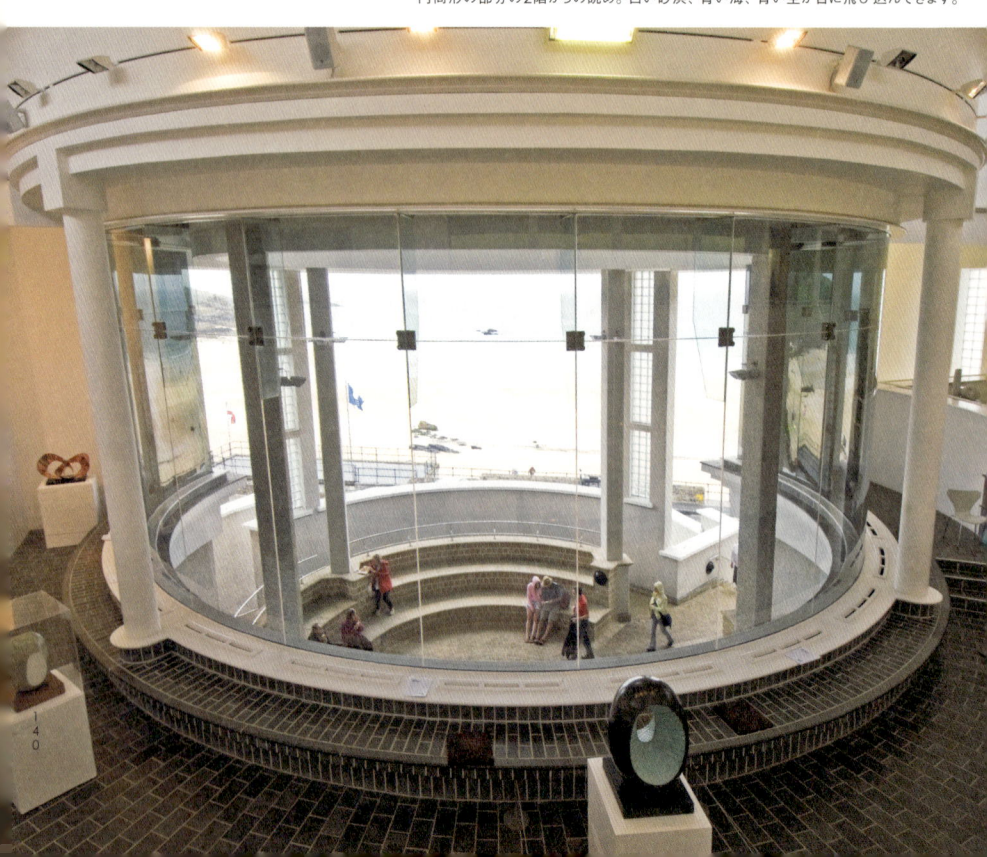

海を眺めながら明るいカフェテリアでのティータイム テート・カフェ

　まずは館内を見学しました。エントランスを入ると外観と同様に内装も白い壁面、階段を上がると建物入り口の上部も展示会場となっていて、円筒形のガラスの向こう側には真白い砂浜と、海が見渡せます。素晴らしい眺め!! 館内には展示室の他に様々な美術的体験のできるワークルーム、ミュージアム・ショップ、そしてテート・セント・アイヴス・カフェがあります。

　取材の予定には入っていなかったのですが、そのカフェテリアがあまりにも素敵なので美術館の担当者に問い合わせをして、取材の許可を得ることが出来ました。モダンな内装で、天井はそれほど高くないのですが壁も天井も全て白で統一され、入り口のすぐ左手には背の高い白の大きなバーカウンターがあって、そこで飲み物等を作っている様子。カウンターの上にあるガラスのケースには素朴なケーキ類、そして大きなスコーンが山積みになっていました。

　正面に当たる海側の壁には、大きな窓が並んでいて、すぐそこに白い浜辺や岬に向かう家並みの屋根、岬の先の真っ青な海まで望めます。椅子もテーブルも有名なデンマークデザイン製で、モダンで明るい感じの店内は、家族連れの観光客、地元の女友達等、たくさんの人々が思い思いの食事やティータイムを楽しんでいます。ちょっと落ち着いたところでカフェの責任者にインタビューをさせてもらいました。キッチンは建物の地下にあり、ここでもやはり「出来る限り地元の食材を使用した食事をサービスしています」という言葉を聞きました。

4章 コーンウォール州

干しブドウの一種、サルタナ入りのスコーンは直径が8cmも、外側はサクサクしていて、中はきめが細かくほんのり甘味がありました。

メニューの表紙は、この町出身のアルフレッド・ウォリスの描いたセント・アイヴスの町の絵。とても素敵だったので、カフェのスタッフにお願いして一枚もらって帰ってきました（右ページに掲載しました）。

彼は日本ではあまり知られていませんが、元々は船具店をしており70才になってから独学で絵を描き始めた異色の画家です。1928年にセント・アイヴスを訪れた画家のベン・ニコルソンとクリストファー・ウッドが偶然ウォリスの家の前

を通りかかり、壁に掛かった彼の絵を眼にした事により世に出ました。ウォリスの英美術界への登場は、ピカソによるアンリ・ルソーの発見にも匹敵する事だそう。その作品はセント・アイヴスの港や街の情景、海上の帆船や蒸気船、灯台などを、船舶用のペンキで描いたもので、とても素朴なのですが、すっと心に入って来るような絵でした。

---

info

Tate St Ives [Tate St Ives Café]
（テート・セント・アイヴス）

Porthmeor Beach, St Ives, Cornwall, TR26 1 TG, UK
Tel. 01736 796 226
http://www.tate.org.uk/visit/tate-st-ives
カフェ・ショップ　　10:00〜17:20
3月〜10月　　　　　10:00〜17:20（入場は17:00迄）
11月〜2月　　　　　10:00〜16:20（入場は16:00迄）
休館日：月曜日　※美術館入場料：£7.70
※トゥルーローから車で西へ40〜60分

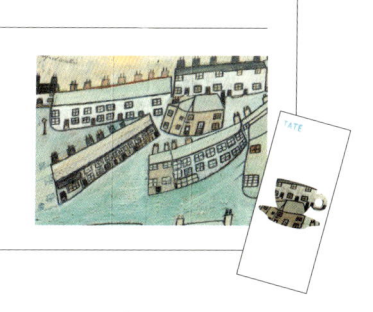

4章　コーンウォール州

野菜とお肉がぎっしり詰まった半円形のパイ
コーンウォールの郷土食、パスティーズ

TEA BREAK COLUMN vol.4

かつてオーストラリアで交換留学生として滞在していた時、時々昼食をキャンティーン（学生食堂）で買うことがあったのですが、その時のお気に入りがミートパイとパスティー。パスティーとは野菜とお肉がぎっしり詰まった半円型のパイのこと。高校の家庭科のレシピ本に「コーニッシュ・パスティーズ」というレシピが出ていたので、日本に帰国してから何回も試作し、自身の教室でも教えていました。

その後コーニッシュというのは、南西イングランドのコーンウォール州のことで、大昔からある錫鉱山で働く鉱夫が仕事の合間に栄養を取る為、ステイクと付け合わせの野菜を一緒にパイ皮に包んで焼いたのが始まりだと分かりました。

近年ではロンドンなどの都市部にファストフードのチェーン店としてパスティーズのお店が見られるようになりました。覗いてみると、トラディショナル・ステイク（ステーキ）、チキン＆ベジタブル、ハム・リーク＆チーズなどたくさんの種類があり、何だかとても美味しそう！

コーンウォール州まで出かけるのだから、発祥の地のお店を訪ねたいと思い、観光局の担当者に何軒か推薦してもい、そのうちの3軒を訪ねました。とっても素敵で美味しかったのは、イード家族が営む「チョッフ・ベイカリー」。パドストウという小さな漁港の真ん前にあります。

お店はパスティーショップではなくベイカリーで、シェフはエレーヌ・イード夫人。いかにも海沿いという感じのブルーと白の可愛らしい看板が印象的で、建物自体も丸っこくて可愛らしい！夏の繁忙期は無休で営業しているのですが、パスティーだけでも一日のうちに1000個以上売れるのだとか。

人気の第1位はトラディショナル・ステイク、第2位はステイク＆スティルトン、第3位はチーズ・オニオン＆リーク。この地にベイカリーを始めて28年になるそうで、イード氏のお母さんのパスティーのレシピをイード夫人が踏襲し、改良したのだとか。

最初はちょっと無愛想だったイード夫人も、話すうちに笑顔になり、最後に冊子をプレゼントしてくれました。帰国後に読むと、とってもびっくりするような事がその冊子に詰まっていました。何とご主人の牛乳配達の商売がスーパーマーケットの出現により先細りになるのを見て、イード夫人は家庭科の教師から転身、趣味だったベイキングを専門学校で学びなおし、ベイカリーを開業したのです。その冊子には彼女の得意とする焼き物のレシピが網羅されていました。そこにはパスティーのレシピも、そして「コーンウォールのパスティーにはスィード（蕪）を入れますが、ニンジンは絶対に入れません」と書かれていました。アレ〜〜!? 私がオーストラリアから持ち帰ったレシピはニンジン入りだったのになあ。まあ、日本にはスィードが無いから、よしとしましょう。

The Chough Bakery
（チョッフ・ベーカリー）

3 The Strand Padstow Cornwall PL28 8RW
TEL. 01841 533 361 / 9:00〜17:00
イースターから10月いっぱいは無休。
11月からイースターまでは日曜日が定休日。
http://www.thechoughbakery.co.uk/

CHAPTER 5

**ENGLISH
TEA
TIME**

英国ティータイム
レシピ

Recipe: Izumi Kojima
Styling: Sachi
Photo: Mitsuko Matsui

[クリームティー]
CREAM TEA

このページでは、いちごのジャムとおいしい紅茶のいれ方をご紹介します。
クロテッドクリームは最近日本のスーパーでも出回るようになりました。
あとはスコーン(P.148でご紹介)があれば、クリームティーの完成です。

[ストロベリージャム（プリザーブタイプ）]

STRAWBERRY JAM

材料（150ccビン×2本分）

小粒のいちご …… 500g（2パック）
砂糖 …………… 130g〜150g

レモン汁 ……… 小匙1
コアントロー …… 小匙1/2〜1杯

① いちごはヘタを取り、ボールにためた冷水でさっと洗い、すぐに水気を拭く。大粒のものは縦に半分か4等分にナイフで切る。
② 砂糖と共に鍋かボール（ホーローかステンレスの物）に入れ2〜3時間以上置き、いちごの水分を出し、φ18〜21cmの深鍋に入れレモン汁を加え強火にかけ煮立てる。
③ 焦げやすいので、お玉で絶えず混ぜながらあく取りをし、4〜5分して大きい泡やあくを取り、火を中火にしてあくを取りながら5〜10分煮る。
④ 好みでコアントローを加え味を見て、甘味が少ないようだったら砂糖をたして少し煮溶かし、全部で10〜15分で煮上げる。
⑤ 熱湯で洗い消毒したビンに入れ、ふたを軽くして煮立ったふかし鍋などで5〜10分煮沸消毒する。ゴム手袋などをして熱いうちにふたを固く閉めなおす。
⑥ この状態で冷蔵すれば1年間は保存できる。蓋を開けたら、2〜3週間で食べきる。ジャムを取る時のスプーンにパンくず等が付いているとカビが出やすい。

[紅茶をより美味しく入れる為に]

HOW TO MAKE A PERFECT CUP OF TEA

日本茶は、良いお茶ほどお湯の温度を低めにしますが、
紅茶の場合は水道から汲みたての新鮮な水をよく沸騰させた熱湯を使うのがポイントです。
又、紅茶は日本茶に比べ品質は比較的長い間保証されていますが、
やはり日が経つにつれて味や香りは低下します。
大事にしまっておかずに、どんどん新鮮な紅茶を楽しむのも美味しく飲む秘訣です。

① ポットと、飲むカップを用意する。ポットは鉄製でなければどのような素材でも良い。理想的には紅茶専用の物で、形は丸い物（お湯が対流しやすいように）が良い。カップに9分目のお水をポットに入れ、カップ何杯でポットのどの辺まで入るかの目安を覚えておく。
② 水道水を汲んで強火にかけて沸騰させ、完全に沸騰した熱湯を使う。ポットに湯を少量いれ、ポットを温める。その湯をカップに注ぎ、カップも温める。
③ 茶葉をティースプーンで量り、入れたいカップ（150cc）の杯数分ポットに入れる。
　ⓐ 葉のサイズが大きいもの（10mm〜20mm）はティースプーン大山1杯（約4g）
　ⓑ 葉のサイズが小さいもの（2mm〜3mm）はティースプーン中山1杯（約3g）
　ⓒ 葉のサイズが特に細かい物（1mm〜2mm）はティースプーンに小山1杯か小1杯（約2g）とする。
④ よく沸騰した熱湯をカップの杯数の目安の所まで注ぎ、すぐに蓋をして蒸らす。
　蒸らす時間は目安としては以下の通りです。
　ⓐ 大型の葉　3〜5分
　ⓑ 小型の葉　2〜3分
　ⓒ 細かい葉　1.5〜2分
⑤ 温めたカップに茶漉しを通して濃さを均等にするように、回し注ぐ。好みの物を入れ（砂糖、ミルク、レモン等）、温かいうちに飲む。

[スコーン]
SCONES

スコーンは、イーストを使わずに作る
いわゆるクイックブレッドという種類の焼き菓子。
小麦粉、ベーキングパウダー、少量のバターに砂糖にミルクと、
台所にある材料ですぐに作れる英国ティータイムの定番です。
冷蔵庫で数日、冷凍だと更に長く保存ができるので、我が家では朝食にも登場します。
レンジでちょっと温めてバターを塗りジャムを添えても美味。

INGREDIENTS

材料（φ5cm × 7〜8ヶ）

小麦粉 ············· 225g	砂糖 ········ 大匙3	※フルーツスコーンにしたい
ベーキングパウダー ·· 小匙3	ミルク········ 110〜120cc	場合は、(2)の工程の後に下
塩 ················ 小匙1/8		記の材料を加えます
バター(有塩) ······· 40g	卵 ············ 1個	レーズン ············· 25g
	ミルク········ 小匙2	カレンズ ············· 20g

［準備］

小麦粉、ベーキングパウダー、塩を一緒にふるい、ボウルに入れておく。

1
バターを包丁で細かく切るか、手でちぎり、準備しておいた粉の中に入れる。手で、パン粉状になるまで、粉とバターをすり混ぜる。

2
全体が黄色っぽくなり、粉チーズのような状態になったら、砂糖を入れてよく混ぜる。（砂糖はできれば微粒子グラニュー糖、又は上白糖）

3
ミルクを全体に少しずつ回し加えて、指先でさっと練らないように混ぜ、ひとかたまりにまとめる。

4
できた生地を手粉を振った台の上で、2.5cm厚さにのばし、好みの大きさの丸い抜き型で抜いて天板に並べる。

5
表面に卵とミルクを混ぜたものをハケで塗り、10分程ねかせオーブンへ。（200〜225℃/15分〜）焼きたての熱々をサービスするのが理想的。

6
クロテッドクリームと苺ジャムなどを添える。クロテッドクリームが手に入らない時は純乳脂肪の脂分45%以上の生クリームを砂糖と共にトロリとするまで泡立て、添えても良い。

[レモンケーキ]
LEMON CAKE

レモンケーキは、四角い型で焼いて切り分けるタイプのケーキです。
すっきりとしたレモンの酸味と、ほんのりとしたリキュールの香りが絶品。
私のオリジナルのティータイムケーキです。
お子様向けならお酒は抜いても良いですが、
大人向けでも子供向けでも、アイシングはたっぷりと塗った方が美味しいです。

INGREDIENTS
材料(21cm × 21cm × 1)

バター ………… 115g	バニラ……… 少々	[レモンアイシング用の材料]
砂糖………… 115g	レモン汁 ….. 大匙2〜2・1/2	レモン果汁….. 小匙1・1/2〜
卵(大)……… 2個	レモン表皮…… 1個分	水………… 大匙1・1/2
小麦粉……… 170g	ミルク………… 大匙3	粉砂糖……… 150g
ベーキングパウダー	ブランディー …… 小匙2	※レモン果汁(と好みの洋酒)に水と粉砂糖を加えてドロリとした固めのレモンアイシングを作る。
………………… 小匙1・1/3	グランマニエー ‥ 小匙1	

[準備]
天板に型紙を敷いておく。小麦粉、ベーキングパウダーを一緒にふるっておく。
レモン表皮はよく洗い表皮をすりおろすかごく薄い包丁でこそげ切り細かく刻んでおく。
レモン汁を絞って漉しておく。

① バターを木しゃもじで柔らかく撹拌し、砂糖の半量を入れて混ぜ、ホイッパーでクリーム状に撹拌し、バニラを加える。

② 卵黄を1個づつ入れ、レモンの表皮のごく細かいみじん切りかすりおろしを加え、白くフワフワにする。

③ 卵白に残りの砂糖を加えながら泡立てメレンゲにする。バターに卵白をさっくり切り混ぜる。

④ 粉の1/2を加えて木しゃもじで切り混ぜ、レモン汁と洋酒を加え、残りの粉、ミルクの順に加えて切り混ぜる。

⑤ 天板に生地を流し、ゴムベラかカードで平らにならしてオーブンへ。(170℃/40分〜45分 ※天板を途中で2重にして)

⑥ ケーキをオーブンから出して、粗熱が取れて冷めたらレモンアイシングを塗り、完全に乾いたら好みの大きさに切る。

[ショートブレッド]
SHORT BREAD

ショートブレッドは、スコットランドが発祥のサックリとした焼き菓子です。
かつては貴重なお菓子でクリスマスのプレゼントとして交換されたそうです。
低温でゆっくり焼き、焦げ色を付けないのが特徴です。
丸く大きく焼く物は「ペティコート・ショートブレッド」と呼ばれ、
本来は3等分くらいに切り分けます。

INGREDIENTS
材料(φ12cm × 2)

バター(有塩) ……… 100g
白砂糖 ……………… 35〜40g
小麦粉 ……………… 150g
上新粉 ……………… 40g
バニラエッセンス …… 少々

1. バターを木しゃもじでクリーム状に撹拌し、砂糖とバニラを加えて白っぽくなるまで混ぜる。

2. 小麦粉と上新粉を混ぜて、ふるった物を加えて木しゃもじで切るように混ぜる。

3. 手で一固まりにまとめ、生地をに2等分にする。

4. フォイルの上でφ12cmに丸くのばし、冷暗所で冷やす。ナイフで6等分に切り込みをいれる。

5. フォークと竹ぐしの背で穴を模様のようにあけて、オーブンへ。低温で焦げ色が付かないようにゆっくりと焼く。(150〜160℃/30分〜40分)

6. 焼き上がりの熱いうちに、包丁等で6等分に切り分ける。

---- One point memo ----

※ 上新粉の替わりに、セモリナ粉を使用しても良い。
※ 粉を加える時に、カラント25gを加えても良い。
　少し薄めにのばして花型で抜き、焼き上がりに微粒子グラニュー糖をまぶす。
※ セミスイートチョコレート25g〜40gを細かく刻んで加えても良い。

USEFUL INFORMATION FOR THE JOURNEY OF CREAM TEA

クリームティーの旅に出る時の［お役立ち情報］

南西イングランドの気候、風土について

▶日本の位置と比較すると、南西イングランドは北海道のさらに北の樺太の中央あたりになりますが、海流などの関係で、気候は割と温暖です。夏になると英国の各地から休暇の為に人々が訪れます。

▶6月から8月にかけては最高気温が20度から25度くらいですが、日本に比べて湿度が低いので太陽の光は強いのですが、比較的過ごしやすい気候です。又この時期は他の月に比べて降水量も少ない季節となります。

▶けれど1日の中での天候の変化が多い事に気を付けて下さい。朝は晴天なのに昼前に曇り初めて急に雨が降り、また午後には晴天となるなどです。折り畳み傘と軽いコート等は持ち歩く事が必要です。

▶英国は北にあるので夏はとても日が長く、例えばロンドンでは6月の半ば頃は午前4時40分頃に日の出、午後9時20分頃に日没となります。それに反して冬は12月31日には日の出が午前8時頃、日没は午後4時頃ととても日が短く、あまり自然を楽しんだりする観光にはお勧めできません。

宿について

▶海外を旅行する時の重要な要素は宿泊先です。まずどこを訪ねたいか大まかに決めたら、その場所に近い所の宿を予約します。
英国には以下の宿泊施設の選択肢があると思います。

- 清潔な宿泊の為の部屋と、朝食を提供してくれるB&B（ベッド アンド ブレックファスト）
- 地元で営業している中堅ホテル
- 世界的にチェーン展開している大型ホテル
- 古い貴族の館を改装したマナーハウス・ホテル

- ▶B&Bや中堅ホテルは価格的にはとても良心的です。けれども、シャワーだけでバスタブが付いていない部屋、狭い部屋、上階に行く時にエレベーターが無くて自力で持ち上げなくてはならないなどの難点がある事も。
- ▶大型のホテルは滞在には快適ですが、全世界統一された内装やシステムでその国らしい特徴は乏しいです。
- ▶マナーハウスはやはり価格が高くなります。最近は建物や内装はクラシカルでもバスルーム等は最新のモダンなホテルも多くなっています。予算的にそういうホテルが高価すぎる場合、例えばアフタヌーンティーやティータイムだけを楽しみに出かけるのもエキサイティングな体験となると思います。
- ▶ただその場合はあまりカジュアルな服装やスニーカーは避けましょう。相手の格を尊重してそれなりの服装で出かける事をお勧めします。

交通手段について

[汽車のチケットの取り方]
英国の鉄道の予約ページ(英語)　http://www.nationalrail.co.uk/

[レンタカーの借り方]
- ▶飛行場や大きな駅の周りにはレンタカーの会社がいくつもあります。
- ▶南西イングランドにはロンドンからではなくて、地方都市までは列車で向かって、そこからレンタカーを借り、その都市で返却して、列車でロンドンへ戻るほうが楽だと思います。
- ▶マニュアルカーがかなり多いので、必ずオートマティック車とカーナビゲーションの注文をする事を薦めます。
- ▶道路をドライブする時のアドバイスが下記のサイトに載っています。
http://e-driving.info/uk/02traffic/02rule/00zenntai.html

USEFUL INFORMATION FOR THE JOURNEY OF CREAM TEA

服装、持ち物について

▶ ヨーロッパでは夏でも革のジャケットを着てちょうど良い時もあります。暑くなっても湿度は無いので爽やかですが、1日の中でも寒暖の差があります。気候の変動に対応できるように重ね着できる物を考えて下さい。

▶ 歩いて見学する時は傘や軽いコートのような物も収納できるような、大きめのバッグをお勧めします。(出来れば斜めがけ出来るバッグ)

▶ ホテルやB&Bの部屋で靴を脱いで動けるように、最後に捨てられるような室内履きかスリッパがあると重宝します。

ティールームやレストランでのマナー

▶ 日本女性は、数人集まると楽しい場面ではどうしても声が大きくなり、皆で大笑いしたりしがちです。ひそひそ声で話す必要はありませんが、周りの人が振り返るような事は避けましょう。

▶ 日本ではお蕎麦や熱い物をズ〜ズ〜とすすって飲食する事は別に気にする事ではありませんが、欧米の人々はあまり食べ物をすすり飲んだりしません。紅茶にしてもミルクを入れてある程度の温度の下がった物を飲みます。紅茶の飲み方も周りの人をまず観察してみて下さい。意外と面白い人間観察が出来ると思います。

▶ アフタヌーンティーではちょっとした暗黙の順番があります。
- まずサンドイッチを食べます。
- それからスコーン
- 最後にケーキかプティフールを頂きます。
- 紅茶はポットサービスでも、ホテル等の場合はおかわりが出来ます。

是非、優雅なティータイムを!

色々な情報の集め方

- 英国政府観光庁の情報ページ（日本語）
  http://www.visitbritain.com/ja/JP/
- 南西イングランド政府観光庁の情報ページ（英語）
  http://www.visitsouthwest.co.uk/
- サマセット州政府観光庁の情報ページ
  http://www.visitsomerset.co.uk/
- デボン州政府観光庁の情報ページ
  http://www.visitdevon.co.uk/
- コーンウォール州政府観光庁の情報ページ
  https://www.visitcornwall.com/
- ナショナルトラストの情報ページ
  http://www.nationaltrust.org.uk/
- ドライブに関する情報
  http://e-driving.info/uk/02traffic/02rule/00zenntai.html
- 英国の鉄道の予約ページ（英語）
  http://www.nationalrail.co.uk/
- 英国のホテルの検索サイト
  ［ホテルズコム］
  http://jp.hotels.com
  ［ブッキングコム］
  http://www.booking.com/index.ja.html
- 旅行に関する口コミ検索サイト
  http://www.tripadvisor.jp/Tourism-g186216-United_Kingdom-Vacations.html

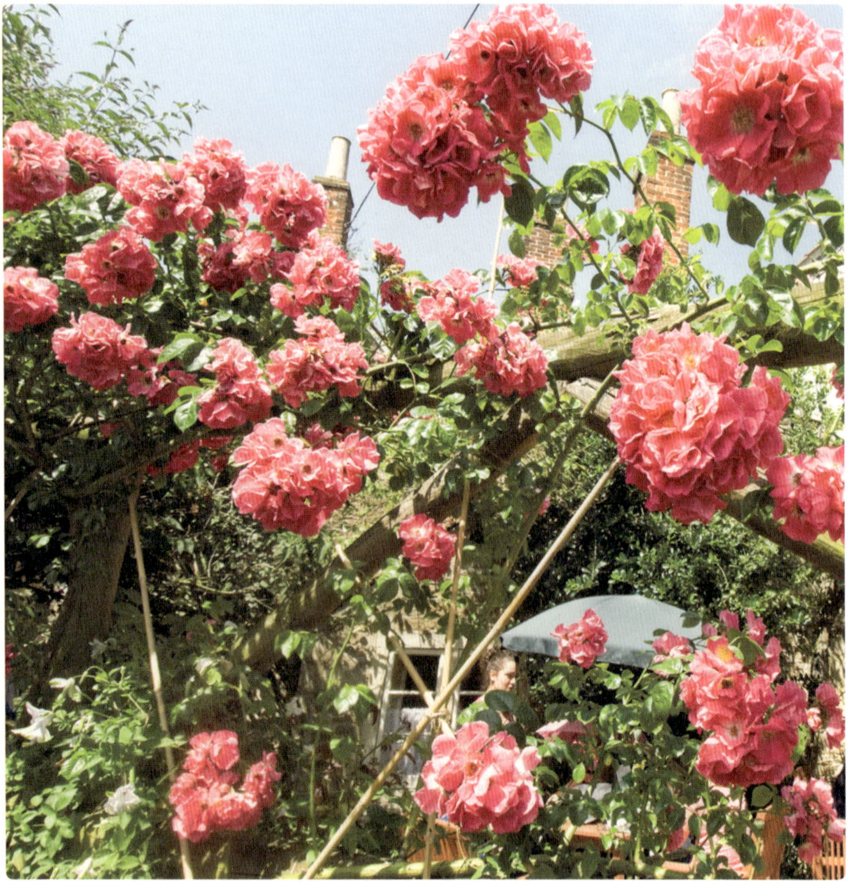

あとがき

　今思えば、よく無事に帰ってこられたなと思う旅でした。車の運転は日本と同じ左側通行なのですが、最初の頃は量販店で購入したカーナビから流れてくる英語の案内が聞き取れなくて困ってしまいました。何本かの道路が交差する所はランドアバウトと呼ばれるしくみになっているのですが、信号が無いため、サークル状の車道に一旦入って、行きたい方向に出るのがなかなか大変。同行したカメラウーマンの松井嬢に何回「危ない!!」と悲鳴を上げられたことか。

　各州の観光局から、取材の打診は入れてもらったものの、訪ねたティールームやファームの人々は、はじめは「日本人がファーイーストと言われる遥か東から、何をしに来たのだろうか?」といった雰囲気でした。でも頑張って用意していったインタビュー用の書類に沿って聞きたい事を質問し話していくうちに、自国の文化に興味を持って訪ねてきているという事を理解してくれたのか、皆とても正直で親切に様々な話をしてくれました。ダメ元で聞いたスコーンのオリジナルレシピも教えてくれました。どの人も魅力的で、又、会いたいと思う人々ばかりでしたが、なかには年月が流れるうちにリタイアメントでクローズしたお店もあり、残念ながら本書に載せられなかった方々もいました。

　でもこの旅行を考えた時の色々な疑問が、対応してくれた人々のお陰で全て解け、素晴らしく美味しいクリームティーにも出会えました。イギリスのお菓子は素朴で、洗練されていません。見栄えもどちらかというと「?」なのですが、数百年に及ぶ紅茶を愛する日常と共にあり、紅茶を飲む時には欠かせない食文化として守られてきました。

　私は食文化に携わり、他国の食文化を伝える仕事をしている者として、出来る限り本物を見聞きして食べ、出来る限り真実を伝えるのが使命だと思っています。そういう意味でもとても実りのある旅行になりましたし、日本の皆様にもパッケージ旅行だけではなくオリジナルの旅行をして、本物を見つけてもらいたいと思います。(こんな私でも出来たのですから!)

　この本が少しでもそのお役に立てれば幸いです。

　最後に、イギリス南西部に導いて下さった荒木安正先生、この旅に同行して下さった松井光子様、取材の指導をして下さった三瓶千代様、佐々木めぐみ様、そしてこんなにコアな話題に注目して、忍耐強く付き合って下さった松本貴子様、皆様に深く感謝申し上げます。

2015年8月 小嶋いず美

小嶋いず美

欧菓子研究家
ティータイムトータルコーディネーター
日本紅茶協会認定
シニアティーインストラクター

高校時代のオーストラリア留学でホームメイドケーキの魅力に出逢う。
ボルフェンビュッテルドイツ国立製菓学校で学んだ後、ドイツの洋菓子店で修業。
帰国後は、「クラインシュピールプラッツ」、「イムプレッシオーネン」などの欧菓子・紅茶教室を開講。
雑誌掲載、レシピ開発など、多方面で活躍中。
著書に『フルーツでお菓子と保存食』(家の光協会)がある。

小嶋いず美の南西イングランド"クリームティー"探訪記
http://impressionen.blog67.fc2.com/

〈私のとっておき〉シリーズ 39

イギリス南西部　至福のクリームティーの旅

2015年10月23日　第1刷発行
2017年10月4日　第2刷発行

著者／小嶋いず美
撮影／松井光子
スタイリング／Sachi(P.146〜P.153)
ブックデザイン／古田雅美、内田ゆか(opportune design Inc.)

発行／株式会社産業編集センター
　　　〒112-0011 東京都文京区千石4丁目39番17号
　　　Tel. 03-5395-6133　Fax. 03-5395-5320

印刷・製本／図書印刷株式会社

©2015 Izumi Kojima Printed in Japan
ISBN978-4-86311-123-3 C0026

本書掲載の写真・文章・地図を無断で転記することを禁じます。
乱丁・落丁本はお取り替えいたします。